VÉSPERA CARLA MADEIRA

VÉSPERA CARLA MADEIRA

21ª edição

2025

CIP-BRASIL. CATALOGAÇÃO NA PUBLICAÇÃO
SINDICATO NACIONAL DOS EDITORES DE LIVROS, RJ

Madeira, Carla

M153v Véspera / Carla Madeira. – 21ª ed. – Rio de Janeiro: Record, 2025.

21ª ed.

ISBN 978-65-5587-298-9

1. Romance brasileiro. I. Título.

CDD: 869.3
21-72131 CDU: 82-31(81)

Meri Gleice Rodrigues de Souza - Bibliotecária - CRB-7/6439

Texto revisado segundo o novo Acordo Ortográfico da Língua Portuguesa.

Direitos exclusivos desta edição reservados pela
EDITORA RECORD LTDA.
Rua Argentina, 171 – Rio de Janeiro, RJ – 20921-380 – Tel.: (21) 2585-2000.

Impresso no Brasil

ISBN 978-65-5587-298-9

Para Ulisses e Irlanda,
meu pai e minha mãe

Tá vendo aquele homem,
ele não é o diabo.
Pode ser pior, mas é homem.
Pode ser filho de Deus, mas é homem.
O homem é o barro do homem.

Antes do começo

Se nos quisesse perfeitos,
nos fizesse perfeitos.

Como se chega ao extremo?
Vivendo.
Sal demais, nenhum sal.
Um dia após muitos outros dias. É longo o caminho.
Chão acidentado,
desprezo,
declives,
quedas.
A descida até o lugar onde somos capazes de tudo é, por vezes,
um desmoronamento lento misturado à banalidade dos dias.
Ou abrupta avalanche.

E se a vida nos leva com ofensas, uma atrás da outra,
é bom que saibamos, por compaixão, que não há quem não vá.
Vamos.
E é por isso que não se trata de uma compaixão desinteressada.

É antes uma reciprocidade premeditada.
Alguma bondade nos servirá a todos, melhor defendê-la.

Vou contar o que sei.
É pouco.
Vi apenas a cena principal, mas foi o que me bastou
para o resto da vida.

Passei a acompanhar a repercussão nos jornais e revistas,
li e ouvi entrevistas,
versões romanceadas,
investigações agressivas.

Muito foi sendo revelado:
infância, fé, entranhas.
O indizível.
As maledicências.
Os apelos desesperados.
A comoção dilacerante.

Algumas fotografias observei, demoradamente,
buscando na geografia dos rostos,
na curvatura das espinhas dorsais,
o percurso que levou aquelas pessoas até ali,
o lugar onde nos encontramos. À hora exata.
Sorte ou azar?
Destino?
Fluxo?
Quem pode reduzir a uma palavra
o que a sincronicidade engendrou?

Foi com esse barro que me dei um deus,
feito à minha imagem e semelhança, e que tudo viu.
Cada coração, cada fígado, cada genitália.
Todos os céus e infernos e silêncios.
Tornei inseparáveis "o que foi" e "o que poderia ser".
Fiz do possível o provável e, dele, o óbvio.

Nada me foi indiferente.
E ainda assim, nada me comoveu um outro desfecho.

Por ironia, ao longo de todos esses anos
o que mais pesou em mim foi a felicidade.
Sim, a felicidade às vezes é uma manta curta,
não dá para todos.
Puxei com demasiada força a minha parte.
As consequências, ainda hoje, varam minhas madrugadas.

Não há consolo em dizer que o que nos acontece, nos acontece.
Parte fazemos, parte nos fazem.
Às vezes, é preciso ir longe para chegar vindo de trás e alcançar a véspera da véspera da véspera do acontecimento. O momento preciso em que tomamos ou somos tomados por uma direção e um belo dia... ou um triste dia, somos o que somos.

Vamos ao começo.

1

Aos primeiros raios de consciência, antes de abrir os olhos, Vedina Maria dos Santos, deitada em sua cama, como um feto que se recusa a nascer, deslizou o braço no espaço vazio ao lado do seu corpo e passou a mão no lençol impecável e frio. Mais uma vez, Abel não dormira com ela. Só então franziu a testa e se levantou como se dos talhos profundos entre as sobrancelhas encontrasse forças para mais um dia.

Caminhou até o banheiro, sentou-se no vaso, os pés dois palmos separados, os cotovelos apoiados nos joelhos, a cabeça pendida para a frente. Esvaziou a mente enquanto ouvia, do início ao fim, o som de seu mijo bater na água parada. Única meditação do dia. Dali em diante, seria invadida por intermináveis diálogos mentais. Brutos, ressentidos. Polifônicos. Estava em guerra. Queria outra vida.

Vestiu uma roupa de reunião. Escovou os dentes, lavou a boca com água gelada, juntou os cabelos em um rabo displicente e se olhou por alguns segundos no espelho. Constatou, olho no olho, que ainda estava ali. Humilhada, foi acordar o filho. Passou pela sala e, sobre o sofá, viu o travesseiro e a coberta de Abel.

Augustinho dormia profundo. "Augusto", chamou, sem diminutivos. "Acorda. Vamos. Tá na hora", insistiu, sacudindo-o, também sem diminutivos.

O corpinho de cinco anos, antes inerte, como um carro de última geração, ganhou velocidade de zero a cem em trinta segundos. "Não, senhor...", interveio Vedina, com a impaciência acumulada em cinco anos de cansaço, tirando das mãos de Augusto o brinquedo que, Deus sabe como, já tinha ido parar lá. "Para o banheiro, agora. Faz seu xixi, lava o rosto e escova os dentes. Vamos, vamos!"

Augusto obedeceu, não sem antes driblar a mãe e sair do quarto levando com habilidade uma bola entre os pés, enquanto narrava em rotação acelerada uma final de campeonato.

Vedina, de volta a seus pensamentos, organizou mecanicamente algumas roupas na mochila colorida. Uma bermuda verde, uma camiseta branca com uma moto estampada espalhando terra para todo lado e um agasalho com capuz. Pôs também um pouco de dinheiro no bolsinho interno, um pouco mais do que costumava pôr todos os dias. Fez tudo concentrada nas verdades que precisava dizer a Abel, garimpando as melhores palavras para deixá-lo, decisão que em sua cabeça levava a cabo, diariamente, mas nunca na prática. Não queria apenas uma separação, queria, embora não admitisse, devolver a ele cada dia de sofrimento. Foi quando ouviu um barulho cortante. Correu até a sala e encontrou a cristaleira e seus cristais espatifados no chão. Era o gol de Augusto.

"Que inferno! Já falei mil vezes para você não jogar a merda dessa bola dentro de casa", gritou ensandecida.

Agarrou, enérgica, o braço do menino assustado e o arrastou até o quarto. Ignorou os pezinhos, pão francês, triscando o pontiagudo dos cacos de vidro espalhados pelo chão da sala. Com movimentos bruscos, pôs a roupa no filho, que por sua vez não demorou a dar os primeiros sinais de ter superado o susto da cristaleira destruída, e com caras e trejeitos, rebolados e patetices, se pôs a chacotear a longa fúria da mãe. Desde que ele nasceu, sou obrigada a ser sua mãe, talvez tenha sido esse o pensamento que atravessou Vedina, no exato momento em que ignorou um fio de sangue que manchou, como um dominó, a meia branca do filho.

Naquele dia, ela deixou tudo como estava. A pia suja, as camas desfeitas e a infância irritante estilhaçada no chão da sala. Era assim que Abel encontraria a casa ao voltar da padaria ou do raio que o parta. Vedina se apressou, não queria encontrá-lo. Pôs o filho no banco de trás do carro, preso ao cinto de segurança. Arrancou.

Mal saiu da garagem, voltou a dizer a Abel para sair de casa. Não aceitaria mais o dar de ombros dele. Viu a expressão inalterada do marido, a provocação de sua surdez, o desrespeito de nenhuma atitude. Abel era opaco. Era irritante. Rocha.

Vedina soltou as mãos do volante e estalou os dedos, um mau hábito com bons efeitos sobre seu corpo atormentado. Ao longe, os sons do filho pulando, já solto no banco de trás. A onomatopeia da luta dos Power Rangers na mão do menino era repleta de texturas sonoras. Dentro de Vedina, os gritos eram ainda mais altos. O corpo pequeno de Augusto, em pleno ritmo, golpeava o ar: chutes nas galáxias, cambalhotas heroicas. Os pensamentos de Vedina em rotação acelerada ensaiavam o rompimento com Abel tomados por sons mais agressivos que os de naves espaciais velozes e sabres fosforescentes. O menino em outro planeta tão distante quanto a mãe. Lá, para ele, não havia gravidade, para ela era só o que havia. Ele podia voar, ela não. E no golpe decisivo, aquele que acabaria com os monstros invasores, Augusto chuta a cabeça da mãe. Vedina mete o pé no freio até o fundo. A parada é brusca. Augustinho voa.

Voa e bate no console do carro. Bate e explode numa gargalhada. Aquilo foi uma manobra radical, o monstro fora para sempre humilhado. A gargalhada agride. Vedina abre a porta e sai. O passo é cego e firme, todas as articulações tomadas de determinação. Ela puxa o filho para a calçada e em seguida joga no chão, aos pezinhos dele, a mochila colorida. Sem uma palavra, entra novamente no carro e arranca. Vai se foder, Abel, vai se foder.

Augustinho requebra arteiro na calçada. Não pressente. Tudo ainda é outra galáxia. O carro da mãe se afasta. Vedina, ainda cega, vê pelo retrovisor o corpo saliente do filho lentamente paralisar. Vê a caricatura de menino levado desmanchar-se. A mão, biscoito maria, cheia de furinhos, deixa cair o Power Ranger no chão e enrola aflita, com a pontinha dos dedos, a barra da camiseta.

Nem meio quarteirão depois, ela se dá conta: a avenida é de mão única. Há muitos carros atrás dela. Não consegue encostar. Não consegue dar ré. Decide dar a volta no quarteirão. Vira na primeira à direita e acelera. Sem demora alcança uma fila de carros menos apressados. Vedina pressiona, quase cola no carro da frente, buzina, mas pouco adianta... Vai, vai... Finalmente, na próxima esquina, ela vira à direita e a poucos metros há um caminhão de lixo parado. O bom humor dos lixeiros lhe parece insuportável. Há uma pilha de sacos para ser recolhida. Eles dançam e brincam. Vedina pensa em ultrapassar o caminhão, mas a pista ao lado está movimentada. Muitos carros vindo. Ela buzina, ninguém a compreende. Só falta um saco, um dos rapazes o pega e joga de longe como se o caminhão fosse uma cesta de basquete. O saco bate no aro e rasga. Ela bate as mãos com força no volante. Ele abaixa e cata o lixo. Ele demora. Ele é um filho da puta. O caminhão começa a andar. Agora vai. Vai, caralho! Mas, logo adiante, outra pilha de sacos de lixo. E mais uma vez. E mais outra vez. Vedina estala os dedos, quer quebrá-los.

Finalmente o caminhão segue reto e ela vira à direita. Falta pouco. O sinal fecha, uma senhora idosa atravessa na faixa. O sinal abre para Vedina, ela quer arrancar, mas a senhora é lenta. A faixa é a faixa, soberana, civilizada e deitada sem pressa no chão. Mais meio quarteirão, apenas meio quarteirão, e estará de volta à rua onde deixou Augusto. Ela segue tentando correr. Chega na esquina, para, aguarda o fluxo de carros passar, precisa conseguir entrar. Ela força a barra, os carros buzinam. O horário é de pico, movimentado, todos medem pressa uns com os outros. Ninguém deixa ela entrar. Mas ela se joga na marra, sob protestos ruidosos, acelera e para exatamente onde deixou Augusto. Já não tem certeza... mas acha que foi ali. Ele não está lá. Ela desce do carro e anda aflita. Não vê o filho. Corre na banca e pergunta. "Alguém viu um menininho de cinco anos, vestindo..." Como ele estava vestido mesmo? Ela não se lembra, não reparou. Tenta explicar como ele é... Busca tremendo uma foto no celular. Ninguém viu. Corre para um lado, corre para o outro. Estala os dedos que já não estalam mais. Os talhos profundos entre as sobrancelhas ganham status de abismos. Ninguém viu. Vedina, agora, é uma carne desesperada girando sobre si mesma. Pensa em Abel, o que vai dizer a Abel?

18 *À palavra é dado ser poema. Ou cativeiro.*

Antunes pai era uma aberração às avessas, quando bebia se tornava uma pessoa melhor. A rigidez e o mau humor crônico que lhe mapeavam o rosto e pesavam os gestos davam lugar a um sorriso largo, bonito, tão iluminado que ele até mudava de cor. Sóbrio era intragável, bêbado era adorável. Sem afetações etílicas, falava pouco, mas exigia muito. Seu silêncio não era de timidez ou distração, nem era cautela ou sabedoria. Nada disso. Era um silêncio carrancudo, inquisidor como a pausa de um interrogatório, a que antecede a condenação. Tinha um tônus alerta atento aos mínimos tropeços dos observados para arrasá-los sem dó. No pouco que falava, brigava. Sua mulher era quem melhor definia: a cada palavra um coice. Não fosse a cachaça, estaria perdida.

Antunes filho, Tonico, quando via o pai abrir a porta mais alta do armário atrás de seus dois copos, um para a cerveja, outro para a cachaça, vibrava de alegria. Criava coragem de ficar por perto, mesmo exposto aos tensos minutos de transição do mal sóbrio para o bem bêbado, que duravam pouco mais do que uma dose. Quando então o pai lhe desarrumaria os cabelos em um afago de mãos leves e brincalhonas pelas quais valia a pena esperar. As doses seguintes resultavam em maiores ganhos e, em pouco tempo, lá estava Antunes filho no colo de Antunes pai. Rindo, com suas bochechas rosadas, só de ver o pai rir, achando uma beleza a intimidade que se estabelecia entre eles. No coração de Tonico, dividido entre odiar e amar desde muito cedo, o álcool tinha poderes milagrosos. Prometeu beber quando crescesse.

Mas, para o azar de Custódia, que se casou com Antunes filho, ele quando bebia se tornava uma pessoa pior. O que na verdade não se tratava de nenhuma aberração, porque a caceteada insuportável dos bêbados é um dado quase unânime, não fosse Antunes pai sua única exceção. Por sorte, no caso de Tonico, o porre se limitava a brincadeiras de mau gosto, repetições intermináveis e constrangedora jactância. Jamais descambou para a violência física, nem para arroubos de coragem. Nem se tornou um sujeito imprestável ou encostado. Ficava inconveniente, chato de verdade e, para o desespero de Custódia, tarado, também de verdade.

O começo da maçada era qualquer assunto que lhe viesse à cabeça. Já o fim era invariavelmente levar Custódia para a cama junto com seu pênis em um estado equidistante entre o mole e o duro, o que o tornava um membro indeciso entre desmaiar ou chuviscar. Como aquilo demorava!!!, era o pensamento recorrente de sua mulher. Tonico começava a fuçar no corpo dela, morder, farejar lugares que, fosse por ela, deveriam viver inabitados. Ele se divertia, ela, com muito custo, seguia em frente. Sinceramente, nunca entendeu tanto entusiasmo por sexo, sempre achou um verdadeiro porre — o que de fato era, em se tratando de Antunes filho. Em se tratando de Custódia, era solidão.

Os dois se conheceram em uma festa de família. Custódia morava em Divino das Laranjeiras, interior de Minas, e sua prima namorava um primo de Antunes. Por ocasião do noivado dos dois, ele esteve na cidade e se encantou com Custódia, que a seus olhos tinha uma timidez excitante. Sabe-se lá de onde vem a força de uma primeira impressão, menos ainda para onde vai. Mas há nesse começo um grande poder. Antunes deu um jeito de ser apresentado a Custódia e foi tomado por seríssimas pretensões. Ela aceitou a corte com pressa de escapar do fundo de um poço. Queria mudar de vida, morar em uma cidade maior, sair da casa dos pais, lugar claustrofóbico, onde quase tudo não pegava bem. Até sorrir comprometia.

Os dois namoraram alguns meses por carta. Encontraram-se quatro ou cinco vezes antes de se casar, sob o olhar vigilante da mãe de Custódia. Logo depois da cerimônia de casamento, cheia de véus e flores diante de Deus, lá estava aquele homem pelado diante dela, sem cerimônia alguma. Era a primeira vez que via um homem nu e foi para ela um assombro.

Aquela carne exibida a ofendia desmesuradamente. Era uma arma apontada na direção de seu ventre, ameaçando perfurá-la. Para Custódia, a imagem de um pênis ereto foi um choque nunca apaziguado. Era ignorante no assunto. Sua mãe, de poucas palavras e intransponíveis distâncias, não a prevenira. Nunca falaram de sexo uma com a outra, embora sexo fosse uma presença ubíqua que impregnava aquela casa de severidade, pelo menos na extensão de todo raio que Custódia, a única filha mulher, deslocava em torno de si. O veredito sobre as amigas que prestavam ou não, o julgamento dos decotes e comprimentos dos vestidos, os lugares e horários permitidos e até as alegrias que podiam ser consideradas dignas de uma pessoa decente passavam pelo maldito sexo. O que dele resvalava era envolto em pecado e condenação. Um mal necessário, ou melhor, um necessário absolutamente mau.

Foi neste lugar que Antunes filho arrumou de se meter. Apesar de ostentar confiante uma considerável e fogosa arma entre as pernas, ansiosa por um encaminhamento, foi um homem sensível e gentil na primeira noite dos dois. Estava sóbrio e sóbrio podia ser amado.

Naquela noite, Custódia controlou sua repulsa de que a invasão se daria, e a arma entraria dentro dela cuspindo gosma repugnante. Tinha uma enojada notícia dessa mecânica, misturada a apavorantes ignorâncias. Não ofereceu resistência, mas naturalmente ficou a quilômetros de distância de qualquer entusiasmo. No fim de todo aquele entra e sai, acabou por confirmar que o mal necessário dói.

Com o tempo e, principalmente, com o intenso treino de um marido sempre animado, a dor da primeira vez foi dando lugar a uma indiferença apressada, que dependendo do teor alcoólico de Antunes se transformava em impaciência a muito custo dominada por Custódia. Ela vivia irritada, mas não apelava de todo, porque se o mal era passar por tudo aquilo, quase que diariamente, o necessário era ter um filho. Crescei e multiplicai-vos, sem isso, de que serviria viver? Custódia queria, mais do que tudo na vida, engravidar. Era um desejo antigo, imensamente maior do que todo o desgosto que sentia nas intermináveis horas de conjunção carnal com Antunes filho. Ele, sóbrio, desconfiava do desinteresse da mulher. Ressentia-se. Queria que ela fosse mais ousada, sonhava com iniciativas voluptuosas, mas a qualquer dose de cachaça esquecia-se da falta de entusiasmo dela.

Os anos foram passando, o desejo do marido não arrefecia, e mesmo com tantas oportunidades de se encarnar, os filhos não vinham. Maldita vida, sofria Custódia. Foi perdendo o brilho, ficando triste e temerosa de que não pudesse engravidar. Os médicos investigaram a fundo e não encontraram nenhum motivo fisiológico que a impedisse de ser mãe. Antunes filho, depois de relutar, concordou em também ser inspecionado, sempre lembrando a todos, antes, durante e depois dos exames, de sua esfuziante virilidade. Achou uma maravilha os minutos que passou no banheiro de uma clínica com uma revista de mulher pelada em uma das mãos e a outra liberada como a luz do dia! Não deu em nada. Tudo certo com seu exército! Os médicos recomendaram paciência ao casal, estavam convictos de que, mais cedo ou mais tarde, aconteceria. Custódia ainda era jovem. Que tivesse, pois, o que os jovens não costumam ter: paciência.

Mas a juventude passa e, no coração amedrontado de Custódia, voava. Cada menstruação que descia era uma morte. Quando uma mulher quer um filho e não pode ter, passa a se ver como mercadoria estragada. Não há consolo que alcance uma dor tão íntima. Diante da impotência da ciência e dos médicos, que falam muito e muito não resolvem, Custódia enfiou a cara na Bíblia. Bateu os joelhos no chão, determinada. Deus daria um jeito. Já dera inúmeras provas de que para Ele nada é impossível no terreno da fertilidade. De Sara à virgem Maria, se é da vontade de Deus engravidar uma mulher, não tem idade, nem esterilidade, nem sequer necessidade de um homem. Meio homem bêbado haveria de ser o suficiente.

Custódia, incansável e sem humor, obstinou-se por um milagre. Passou a falar com a boca presa como se temesse um mau hálito. Tonico não teve dúvidas: sua mulher azedava a olhos vistos. As vontades de Deus passaram a fazer parte de todas as frases que ela dizia. E, para o desespero de quem cruzava seu caminho, tornou-se convicta de que a graça pretendida por ela só seria alcançada mediante o esforço de catequizar todos ao seu redor. Tratava-se de um escambo com o Pai eterno: Ele lhe daria um filho, ela daria a Ele fiéis.

No desenrolar desses esforços, parte da atmosfera impregnada na casa de seus pais, da qual Custódia se empenhara em escapar, passou a dominar sua própria alma, com toda a rigidez de quem acredita nas muitas portas do inferno. Uma infinidade de regras e constantes pregações caíram às toneladas em cima de Tonico, e passaram a pesar mais do que o corpo dele em Custódia. Tudo era pretexto para um inflamado versículo, um salmo, um mandamento. Um sermão e muita pressa. A sacanagem estava abolida até o fim dos tempos. E Tonico foi ficando irritado de tal maneira que nem quando bebia esquecia mais. E quando parecia que o ramerrão não podia piorar, se deu a fusão: Custódia engravidou. Recebeu de Deus mais do que um milagre: dois, gêmeos como os da estéril Rebeca, personagem bíblica, mãe de Esaú e Jacó, mesmo Custódia tendo fracassado na tarefa de converter Antunes em um devoto.

Se um filho já era quantidade de graça o suficiente para encher seu ventre ávido por procriar, dois eram um álibi, uma trégua providencial, que suspenderia de imediato o aborrecimento de se deitar com o marido. Uma decisão comunicada a Antunes como severa prescrição médica. Abstinência medicinal e inegociável. Para Antunes, acostumado a ter a mulher na hora que bem entendesse e, principalmente, nas horas em que, embriagado, não entendesse mais nada, era uma contrariedade. Estava cancelada a diversão. Quartos separados. Nenhuma aproximação autorizada, nenhuma falta lamentada... Se antes ele desconfiava da indiferença de Custódia, agora tinha certeza do seu desprezo.

Há muito mais para se dizer de Tonico, no entanto. O avesso de um homem é, com um pouco de sorte, outro homem. Antunes filho tinha seus encantos, não era só vícios. Era também trabalhador, disciplinado e dotado de muitas habilidades. Fosse qual fosse a esbórnia da noite anterior, às seis da manhã estava de pé, cuidadosamente banhado e vestido. No bolso da calça de tecido, um punhado de balas de menta, para espantar o bafo de onça e jamais a freguesia. Ele, por muito tempo, imaginou para si um destino diferente, queria ser engenheiro, tinha inteligência para isso, mas herdou do pai uma loja de tudo quanto há, a Pregos & Etecetera. Cinco mil itens de utilidades que, por incrível que pareça, alguém, mais cedo ou mais tarde, acabaria precisando. Pregos, extensões, martelos, fita isolante... A pequena loja era um corredor estreito, com prateleiras de ambos os lados, abarrotadas de caixas meticulosamente organizadas. Todas com etiquetas escritas à mão, em letras cursivas impecáveis. Desenhadas por Antunes filho, que bebia, mas, para o espanto de muitos, não tremia.

Seus clientes eram fiéis. Prontamente atendidos e sempre encantados com a capacidade de Antunes de encontrar qualquer coisa em meio a tantas coisas. Nunca teve computador, nem quando esses se alastraram como uma praga. Controlava de cabeça os estoques e sabia onde estava cada item. Memorizava a lista de compras dos clientes e era capaz de, sem a ajuda de calculadora, somar mentalmente o total a ser pago. Depois transferia para um papel picado o detalhamento da operação e prestava contas ao cliente, antecipando orgulhoso o resultado. Nunca errava. Não havia dúvidas de que desperdiçara ali, em sítio tão estreito, uma inteligência que poderia ter dado a ele outra vida, mas lhe faltou coragem para contrariar o pai.

Sua rotina era metódica. Por volta das cinco da tarde, fechava a loja e ia para casa levando pão fresco, cerveja gelada e, de tempos em tempos, cachaça. Era uma vida de bairro em uma cidade grande. Pelos caminhos de sempre, muitos conhecidos.

Depois de anunciada a gravidez dos filhos gêmeos e de ser banido do paraíso entre as pernas da mulher, os porres de Tonico passaram a obedecer a outros protocolos. Na primeira dose, ele tirava os sapatos, conservava as meias e mantinha a voz em um volume elegante. Na segunda, já em brados retumbantes, se gabava de ser um homem varonil: "Com uma canudada só, meti logo dois filhos na barriga de Custódia. Tem que ser muito bom de pontaria para acertar duas bolas na mesma caçapa. Gol de artilheiro bom de taco!" Era o momento vulgar da noite, em que ele misturava os esportes e ria sozinho do duplo sentido sacana de seus trocadilhos lamentáveis

Na terceira dose, as meias eram arrancadas e a tristeza começava a se encostar. Os olhos de Tonico se enchiam de um desamparo infantil. Eram os mesmos olhos de quando ele, ainda criança, olhava sôfrego para o pai, na expectativa de vê-lo se transmutar de odiável a amável. Daí em diante, Tonico e suas bochechas cor-de-rosa já envelhecidas choravam, porque o colo do pai não viria. Custódia não viria. Nenhum afeto viria. Só aquele abandono ia comparecer, acompanhado de arrastadas mágoas. Nesse momento, o desprezo da mulher se elevava aos píncaros e doía mais fundo nele. Quanto mais doía, mais antipatia ela manifestava. Custódia preferia a chatura do sexo de baixa resolução a um homem carente chorando com exagerado desamparo. Aquilo ela não suportava, não despistava. O porre dele ia embora, nunca a antipatia dela. Todos os dias, enquanto o marido bebia, Custódia perdia doses de respeito por ele.

Claro que Antunes percebia o descarte a que estava sendo submetido. Sentia a humilhação e só fingia não ligar. Desejava sua mulher, depois de tantos anos, como da primeira vez em que a viu. E desejava ser respeitado. Tornou-se dois homens em um. Dois estranhos dividindo o mesmo corpo sem contracenar. O passo disciplinado do amanhecer não cambaleava com as pernas alcoolizadas do anoitecer. O gosto da menta na boca não se misturava com o de cachaça. A capacidade de encantar os clientes não conhecia a capacidade de exasperar a mulher. Mas entre o Antunes sóbrio e o Tonico bêbado, juntando os dois em uma só existência, resistia o sujeito ressentido. O tipo que se cala sem esquecer. Esse estava em todo lugar, atento ao momento da desforra. Alimentava uma antipatia sem tamanho pela religiosidade de Custódia, creditava a esse excesso de Deus toda escassez de alegria na mulher e, consequentemente, na própria vida. Tinha ímpetos de desacatar o que era sagrado para ela e começou a preparar em fogo baixo uma vingança bem fria. A todas as ofensas recebidas daria um só troco, exatamente onde a dor dela mais seria capaz de doer.

Tudo foi sendo meticulosamente entrincheirado dentro dele. A cada manifestação explícita de desprezo de Custódia – nunca inofensivas, ela era boa em desprezá-lo, diga-se de passagem –, Antunes ganhava um pouco mais de coragem de magoá-la. Estava a todo vapor calculando seu revide, quando Custódia entrou em trabalho de parto. Deram uma bonita trégua. Antunes se manteve ao lado dela, sóbrio, solícito e compadecido com o sofrimento da mulher. Foram trinta horas de dor, um calvário indescritível. E ele não arredou o pé. Custódia aceitou, com gratidão, a presença de Antunes, a maneira como ele segurou suas mãos, como fez carinho em seus cabelos, como acompanhou e exigiu todos os cuidados, tanto para com ela quanto para com os filhos. Se ele fosse sempre assim, ela o amaria. Ao final de todo aquele martírio, mesclado a um passageiro enternecimento que se deu entre eles, nasceram dois meninos gêmeos. Idênticos.

Três dias depois do parto, quando a ternura vivida trazia a ilusão de novos tempos, Antunes chegou em casa com o passo cambaleante, a cara exitosa e a certidão de nascimento dos meninos na mão. Custódia estava no quarto nocauteada pelo furacão dos recém-nascidos. Ele entregou para a mulher a certidão e esperou. Os dedos fazendo um barulho discreto sob a cômoda, tentando sustentar uma aparente banalidade. Queria ver bem de perto a reação dela. Aguardou o impacto de sua agressão com o mesmo tônus que se espera uma cobrança de pênalti do próprio time: certo de um gol incerto. O gozo que ele esperava saborear, ao golpear Custódia, não contava com o tamanho da tristeza que provocou nela e fez dele vítima do que não saberia lidar para o resto da vida. Bateu na trave. Bateu na maldita trave.

– Por que você fez isso, Antunes? Os meninos iam se chamar Pedro e Paulo. Nós combinamos que eles iam se chamar Pedro e Paulo...

– Mudei de ideia.

– Você sabe quem foram Caim e Abel, Antunes?

– Dois irmãos.

– Um matou o outro, Antunes.

– Tenho certeza de que algum Pedro já matou algum Paulo, ou vice-versa, e como somos todos irmãos... Bobagem.

– É diferente de Caim e Abel...

– Você é supersticiosa, Custódia!

– Não, Antunes, eu sou religiosa. E você não suporta minha fé.

– Não suporto a fé que você quer que eu tenha.

– Sabe o que você fez? Você pôs um peso na vida dos nossos filhos.

– Eu não pus peso coisa nenhuma. Eu pus um nome neles. Um nome, é só uma palavra. Palavras são palavras, não pesam.

– "Alcóolatra" pesa, Antunes. "Bêbado insuportável" pesa. E "separação"? Me diga, Antunes: e "separação"? O quanto pesa para você?

Custódia foi até a gaveta da cômoda, no passo lento de um parto exaustivo, e pegou uma tesoura. Cortou o fio vermelho no braço do filho a quem chamava Pedro.

– Tenho dois filhos, Antunes, e nenhum se chamará Caim.

Nem mais uma palavra foi dita. Nem sóbrio. Nem bêbado. Antunes perdeu a graça. Não sentiu um miserável gozo com a reação de Custódia. Apenas seus dedos sabiam o que fazer: continuaram tamborilando na madeira.

2

Um idiota parou em fila dupla, gritaram as buzinas.

O idiota é Vedina. Ela percebe a indignação, mas Augusto desapareceu. Dentro dela há vozes muito mais estridentes e ameaçadoras: onde está Augusto? O que você fez com nosso filho?

Um sonoro "filha da puta" atravessa o vidro. A cara do homem que ruge para ela está deformada. Ele seria capaz de matar para defender seus minutos. Vedina não se defende, é uma filha da puta indefensável. Uma mãe filha da puta... Se aquele homem soubesse... que deformação arranjaria para ficar à altura do que ela fez? Ninguém desacelera, a indiferença está em todo lugar. Vedina arranca com o carro e sente ânsias de vômito por se afastar do lugar onde deixou Augusto. Como ninguém viu Augusto? O que vai fazer? O que vai dizer a Abel? Tortura os dedos, quer castigar-se. Acelera e não vira no lugar de costume. Está ofegante. Será que deveria voltar e esperar Augusto aparecer? Deveria ligar para a polícia?

Sem conseguir se decidir, entra em uma rua qualquer, para o carro e começa a caminhar. Precisa pensar, precisa caminhar e pensar. Nunca esteve naquela rua antes. Vê o rostinho do filho pelo retrovisor se desmanchar em desamparo. Para quem ela poderia ligar? Para quem poderia dizer: fiz uma merda imperdoável? Sou abominável, repugnante, meu Deus, o que vou dizer a Abel? Vedina quer as piores palavras para falar de si e não as encontra. Quer palavrões desmedidos na boca e alguma violência na carne. Não há ninguém para ligar... Talvez... talvez haja.

O telefone em sua bolsa vibra. É Cléa. Como alguém se chama Cléa? Nome de linha. Uma loura de pele marcada e voz sedutora. Calcinha sempre triangulando na bunda. Cabelos hidratados e unhas feitas. A essa hora deveria estar histérica, andando pelo corredor, indo e voltando, com seu salto irritante batucando decibéis de revolta. A reunião precisava começar. "Irresponsável!", Vedina ouvira muitas vezes Cléa gritar "irresponsável", dando uma pequena pausa antes de soltar o "sável". As reuniões são prioridade, as geleiras derretem, mas as reuniões são prioridade na vida de Cléa.

Vedina calça um sapato de quem já deveria ter chegado em uma reunião tão inadiável. Está bem longe de onde deveria estar, com sapatos inadequados para o rojão do desespero. A manicure tirou um bife enorme de seu dedo do pé. Dói, e ela pode sentir a inflamação. Deveria doer mais, tudo deveria existir para torturá-la. A dor distrai seu desespero. O alicate deveria arrancar suas unhas, e seria pouco para quem abandona um filho indefeso. Mas quem passa por Vedina na rua ainda a respeita. Nem imagina que se trate de um ser desprezível. Há cinco anos, desde que Augusto nasceu, foi obrigada a ser sua mãe. Foi obrigada a amá-lo.

A avó de Vedina fazia sapatinhos de linha Cléa para Augusto, quando Vedina nem sequer imaginava que o teria. Na ponta da agulha, um pezinho azul ia ficando dependurado. Vedina queria desmanchar aquele afeto, ponto por ponto. Queria, agora, aquela linha para se enforcar. Que mãe põe as coisas nestes termos: foi obrigada a amá-lo?

O telefone vibra novamente, é a porra da linha Cléa. Ela não desiste e dias depois dará sua versão incontinente e maliciosa dos acontecimentos em uma entrevista sensacionalista. Meu filho desapareceu, foda-se a reunião! Meu filho, entende? Minha culpa, entende? É o que Vedina gostaria de gritar, mas se contorce com as mãos na boca do estômago, parece que o desespero se embolou por ali. Lembra-se de que é urgente se separar de Abel. Abel vai matá-la. Meu Deus... E ele vai estar com razão, e isso é pior do que morrer.

Passa por ela uma mulher com uma criança. Passa uma velha lenta se aproveitando do sol delicado. Passa um homem, e depois outro com um pente aparecendo no bolso da camisa. Ninguém está aflito. Todos seguem conformados. Ela sente inveja dessa conformidade. A paz dos que não cometeram crime algum. Precisa tomar uma decisão. Mas qual? Quer jogar seus documentos no bueiro e sumir. Sente ímpetos de fuga, quer gritar "roubaram meu filho!". Inventar que foi roubada é a única saída. Não vai conseguir dizer a verdade. Como pôde? Alguém me ajude, meu filho estava comigo e o arrancaram de mim! Mas, em vez disso, dá um murro em uma árvore. A árvore não se abala, é pura elegância. Um rapaz que passa de bicicleta para e pergunta: "Está tudo bem, moça?" "O quê?", responde ela. "Está tudo bem? Posso ajudar?" Ele não deveria ter feito aquilo. Ele não deveria ter sido tão gentil. Vedina chora, chora. Vedina finalmente chora.

17 *O acaso fará mais do que um par de mãos.*

Diante do Colégio Santa Maria, Custódia viu seus dois filhos de mãozinhas dadas, uniforme impecável, atravessarem o largo portão da escola no primeiro dia de aula de suas vidas. Os dois caminharam como se carregassem um copo d'água prestes a transbordar. Passinhos curtos e cautelosos de quem adentra um mundo grandioso e desconhecido. Eram da mesma altura, tinham o mesmo corte de cabelo, o mesmo jeito de pisar com o lado de fora do pé, e o mesmo curativo no joelho direito, embora só um deles estivesse machucado de verdade.

Ao lado do portão, uma das mães tentava acalmar a filha que chorava descomedida se agarrando em suas pernas como se adiante houvesse um pelotão de fuzilamento. Paciente, a mãe explicava à menininha perfumada que a escola era um lugar divertido, que ela faria novos amigos, que ao fim do dia viria buscá-la. Mas a garota não tinha ouvidos, só garganta, que naquele momento funcionava com todos os seus decibéis. Fosse um desenho animado, veríamos a goelinha vermelha vibrando e uma boca enorme engolindo a tela. A mãe era sincera em seus esforços de convencer a filha a entrar, mas havia também um orgulho de ser espetacularmente amada. De tempos em tempos, ela levantava os ombros e os olhos duvidosamente suplicantes e satisfeitos para os outros pais. Aquela cena interminável provocou em Custódia uma pontada de despeito. Seus filhos, mesmo que em passos cautelosos, nem olharam para trás.

Depois que eles entraram, ela ainda observou que alguns pais paravam seus carros tempo o suficiente apenas para que seus meninos, aqueles toquinhos de gente, saltassem. Depois arrancavam com o sentimento inconfesso de alívio, nem esperavam que os filhos cruzassem o portão da escola, confiantes de que eram capazes de dar dez passos sem supervisão. Custódia teve certeza de que jamais faria aquilo. Só arredaria o pé quando os meninos desaparecessem de seu campo visual por completo, coisa que, por sinal, a perturbava de uma maneira ainda desconhecida. Estava com o coração apertado. Sofria de medo, uma doença dramática em quem tem imaginação.

Com os primeiros passos, medo das quinas. Com as brisas, medo da febre. Com o sol, medo da desidratação. Com a comida, medo dos vômitos. Com o amor, medo da perda. Com a liberdade, medo das escolhas. Medo era o que não faltava a Custódia, e ela bem sabia que o pavor repentino é uma promessa de Deus aos desobedientes. Deus mandava, mas ela não perdoava Antunes. Ah, isso ela não podia. Não sabia. Não queria. Dominada por medos tragicamente imaginados, inflava sua coragem minguada disfarçando-a no abuso dos verbos imperativos, no queixo arrogante, na força descomunal com que tentava tirar da alegria dos filhos, os riscos.

De todos os seus medos, um tornou-se o medo-rei, soberano, mais poderoso que todos os outros: o medo do filho extraviado. Por causa desse medo, Custódia fez uma incontável quantidade de absurdos.

Mas sejamos justos: que mãe não padece desse calafrio? Do filho que dá errado, que se perde ou é perdido. Isso é como um cordão umbilical, nenhuma mãe nasce sem ele. Só que em Custódia o estremecimento tinha agravantes. Mais do que o medo do filho extraviado, existia o medo de reconhecê-lo, de súbito, em um dos gêmeos. Em um gesto, em uma palavra, em um olhar... saber qual dos dois era Caim. Custódia era uma mãe atormentada por duas tragédias: a do filho que mata e a do filho que é morto.

Na companhia desse pavor, tampou os olhos com mãos firmes e, por não ver ninguém, achou que não seria vista. Como a brincadeira de cobrir o rostinho de um bebê com uma fralda, gritando entusiasmada ao retirá-la: "Achou!"

Foi exatamente isso o que Custódia fez: reduziu o funcionamento do mundo ao seu ponto de vista. Um esforço descomunal para que os meninos se tornassem iguais, indistinguíveis, e assim se tornassem um só: Abel. As mesmas roupas, o mesmo quarto, os mesmos brinquedos compartilhados e o mesmo nome. Um nome "Abel" em dois corpinhos, que um dia seriam dois desejos e, depois disso... sabe-se lá quanta bagunça. Mas Custódia não antecipava o que viria pela frente... Urgente era o que estava diante dela: a lambança do bêbado insuportável que ela decidiu limpar pondo uma fraldinha nos olhos de todos! Seria razoável, contudo, não julgá-la apressadamente. Que mulher religiosa dormiria tranquila tendo um filho chamado Caim e outro Abel? Nem mesmo um ateu convicto passaria por debaixo dessa escada assobiando.

Abel e Abelzinho, por mais absurdo que pareça, foi a solução encontrada para os primeiros seis anos de vida dos gêmeos. Inverossímil como só a realidade sabe ser. Os dois aprenderam a negociar quem seria quem quando era necessário negociar. Sem disputas. Apenas a patética lógica na irracionalidade do medo. O que era de um era do outro, de maneira que os dois cresciam embolados, ora sendo Abel, ora sendo Abelzinho... Como se negar a existência de dois fizesse desaparecer o lugar onde, irremediavelmente, alguma coisa ia sendo diferente em cada um deles. Ninguém pode deter um corpo, nem sua plasticidade única. Mas Custódia achou que podia.

Naquele primeiro dia de aula, diante do portão do Colégio Santa Maria, ela carregava um peso no coração, não só por se separar pela primeira vez dos gêmeos, mas porque era o dia em que, oficialmente, Caim passaria a existir. Um pesadelo que Custódia pensara poder adiar para o resto da vida. A escola exigia a certidão de nascimento. Esse nome seria pronunciado na hora da chamada, duas letras depois de Abel. Seria gritado no recreio, seria registrado na capa dos cadernos, no topo do boletim. Seria entoado pelo professor diante da turma, em pianíssimo ou fortíssimo, conforme o elogio ou o puxão de orelha. Seria, sobretudo, cochichado, maliciosamente, com perplexidade, pelos corredores, pelos que não acreditariam em dois irmãos a quem os pais haviam tido a insensatez de dar os nomes de Caim e Abel. Uma vergonha eterna. O fato é que o truque de embolar os meninos, ao qual Custódia tanto se dedicara, acabava ali, naquele primeiro dia de aula.

Custódia reviveu a vontade arrebatadora de odiar Antunes. Que raiva ela sentia daquela estupidez.

— Você resolva isso — disse a ele, quebrando uma rotina de poucas palavras que mantinha a convivência entre os dois possível. — Resolva isso!

Desde o nascimento dos meninos, Custódia e Antunes — que nunca mais foi Tonico na vida — só conversavam um com o outro o que se podia conversar com qualquer um. As mesmas palavras eram ditas, dia após dia, e só elas pareciam permitidas. Nada além do necessário: o almoço está na mesa, estou indo, cheguei, desligue o aquecedor, deixe dinheiro para o açougue... e no máximo um bom-dia, um boa-noite, resquícios de uma civilidade esgarçada. Foi o único arranjo possível para eles depois que Antunes preparou, apontou, rebolou diante da bola e acertou na trave.

— Resolva isso!

"Resolva isso" era alguma coisa que ele não tinha a menor ideia do que fosse. Mas, ainda assim, se empenharia. Se empenharia com todas as forças porque a palavra "separação" ecoava dentro dele como uma tragédia. Preferia viver mal, até morrer, a ficar longe de sua casa, de seus filhos e de sua mulher. Ainda que ela não o visse mais como homem. Nem como alguém digno de respeito. Muito menos como um amor. Preferia viver assim, desprezado, a ser banido de vez. Ir para onde? Voltar para onde? Sua casa era ali, sua vida era ali perto dos filhos e da mulher que, apesar de tudo, considerava sua.

Naquele irremediável dia, depois de entregar a Custódia a certidão dos filhos e diante da reação dela, Antunes foi tomado por uma confusão mental sobre si mesmo. As palavras "bêbado insuportável", ditas sem nada que pudesse distraí-lo, como um grito, um gesto teatral, ou qualquer outro aspecto convulsivo, soaram indefensáveis. Foram pronunciadas com uma voz mansa que não precisou de nada além da verdade para se fazer maciça. Antunes não pôde escapar do choque de se ver pelo olhar de Custódia. Sabia do desprezo dela, não tinha ilusões. A estupidez engendrada por ele era, inclusive, uma resposta mal dimensionada aos constantes destratos a que ela o submetia. Mas não tinha entendido ainda que o asco espesso estava onde ele imaginava estar a alegria e o afeto, naqueles momentos em que ele se sentia um sujeito livre, espontâneo e cheio de desejo pela mulher com quem se casara. A impressionante falta de consciência de que era um bêbado, e ainda por cima insuportável, caiu sobre ele como um fim. Mas o pior foi ter se dado conta de que não havia novidade alguma, ela já tinha dito aquilo muitas vezes, com todas as letras, e ainda assim ele adiara ouvir. Adiara porque odiava dar a ela o direito a esse ponto de vista. Porque não aceitava que ficasse de fora daquela lente o homem trabalhador, dedicado à família, que estava sempre em casa, desejando a mulher com quem se casara. Era assim que ele mais se reconhecia. Por que resumi-lo em duas palavras: bêbado insuportável? Com que desgosto aquilo se desvelava diante dele, que revés doloroso a constatação cruel de que era o engano, e não o amor, que os mantivera juntos!

No dia seguinte àquele em que afrontou Custódia com o nome dos filhos, arrependido, abatido pela ressaca dos acontecimentos com uma intensidade que nenhuma quantidade de álcool conseguira provocar em toda a sua vida, Antunes foi para a Pregos & Etecetera, como fazia todas as manhãs. O primeiro cliente a aparecer foi uma velha conhecida, dona Tamires, que travava com ele uma espécie de jogo de memória. Suas listas de compras eram enormes e ela as depositava sobre o balcão como a carta de um jogo de tabuleiro que distribui missões. Queria ver Antunes memorizar aquelas compras e depois somá-las mentalmente. Ele era, então, imediatamente tomado por um bom humor e uma confiança que ela gostava de testemunhar. Como um protagonista em cena, pegava o papel, lia lentamente a lista, depois o dobrava, deixando-o sobre o balcão. Então saía, pegando coisa por coisa, sem vacilar, indo direto nas caixas certas, repetindo o nome de cada item, sem perder o ritmo e a segurança de um galã. Gestos seguros e elegantes a plenos pulmões. Se, nesse momento, entrasse um outro cliente na loja, ele sinalizava performático um pedido de espera, com a palma da mão solicitando não ser interrompido, e seguia no desafio da lista. Reunia tudo aquilo no balcão, apertava os olhos, e alguns minutos depois dizia: São 187 cruzeiros, dona Tamires. Ela, hipnotizada pela cena, pegava imediatamente a lista, batia item por item, enquanto ele detalhava no papel a conta que havia feito de cabeça. Nada havia sido esquecido, e a somatória era exata. O que vinha depois era uma conversa divertida, uma sedução sem nenhuma pretensão engatilhada. Talvez dona Tamires nem precisasse de todas aquelas quinquilharias que, semana sim, semana não, ia buscar. Mas era viúva, sofria a falta dos filhos criados, e aqueles minutinhos testemunhando a bem-humorada habilidade do sr. Antunes amenizavam sua solidão.

Mas naquele dia, o dia da maior ressaca de sua vida, Antunes pegou a lista de dona Tamires desacorçoado. Com os pensamentos distantes, começou a separar cada item, ignorando o acordo tácito que existia entre eles de como fazer aquilo. Uma pesada obrigação conduzia seus gestos. Então, percebendo o abatimento do amigo, ela reivindicou, carinhosamente, seus minutos de alegria. Ele, com uma honestidade compungida, o olhar caído e úmido, respondeu:

— Hoje, dona Tamires, minha cabeça não consegue guardar coisa alguma.

E assim o dia se arrastou, irrecuperável, como tudo em sua vida a partir dali. "Que estupidez", repetiu tantas vezes, "que estupidez".

No caminho de volta para casa, Antunes seguiu sem querer chegar. Retardando ao máximo esse momento. Observou comovido um homem caminhando ao lado do filho pequeno. Um menininho de perninhas tortas, usando uma botinha ortopédica, que tentava andar se equilibrando em uma mureta estreita, apoiando-se, quando necessário, no braço do pai que, paciente, deixava o garoto comandar o tempo. Antunes sentiu uma súbita vontade de ver os filhos crescerem. De caminhar com eles com passos desocupados. Assobiando. Aquilo apertou seu peito: a leveza perdida, o peso perpétuo. Fechou os olhos e pediu, talvez ao Deus de Custódia, de quem tantas vezes caçoara, talvez ao Deus de sua mãe, para quem rezava quando criança, pediu pelos filhos. Pediu que sua ignorância não prejudicasse os meninos e que as palavras não tivessem poder de fazer o mal acontecer. Admitiu, arrasado: tinha ido longe demais.

Passou na padaria e comprou pão. Apenas pão. Ficou muito tempo sem beber, muito tempo sem lugar. Sua casa parecia não ser mais sua. Perdeu o jeito de ser ele. Chegava e ficava deslocado, sem liberdade de pegar os meninos ou dirigir a palavra à mulher. Custódia estava sempre às voltas com os bebês, descabelada e aflita. Solange, a moça que contrataram para ajudar com os gêmeos, mais parecia um enfeite. A ela não eram permitidas iniciativas de qualquer natureza. Custódia conferia e refazia tudo em que ela colocava a mão. Nada prestava. Antunes, mesmo cerceado, insistia em se aproximar dos gêmeos, não saía de casa sem dar um beijo nos filhos nem voltava sem ir ter com eles. Travava pequenos enfrentamentos com Custódia, tímidos o suficiente para não ser expulso de casa. Poucas vezes arriscou impor o que pensava ser sua autoridade de homem, algumas delas desastrosamente. Percebia, culpado, uma tristeza de fundo na mulher que se misturava a tudo o que ela fazia. Preferia mil vezes os momentos de agressividade que Custódia, de tempos em tempos, promovia, à mágoa silenciosa que a deformava.

Mas o tempo agiu. A raiva foi sendo menos raiva. A culpa, menos culpa, as mágoas, menos mágoas e o bêbado insuportável, um pouco mais suportável... pelo menos aos olhos do próprio Antunes. Ele retomou o velho vício, embora com novos critérios. Nunca mais bebeu na frente de Custódia. Passou a beber na rua, nos bares, sozinho e calado, mais por submissão do que pela antiga admiração ao álcool. Uma lastimável decadência evolava de sua imagem solitária, bebendo sem assunto, sem amigos, sem sorrir, envolto em memórias corrosivas. Nunca mais uma cerveja desceria apenas gelada ou uma cachaça esquentaria inocente seu corpo. Haveria sempre um "bêbado insuportável" se intrometendo nos seus porres.

Então, seis anos depois da grande burrada, ocasião em que os meninos começariam a frequentar a escola, quando Custódia disse a ele "resolva isso", Antunes não podia imaginar o que significava exatamente "resolva isso". E também não podia perguntar, porque dadas as circunstâncias, com o ódio da mulher absolutamente atualizado, o melhor era se manter invisível e obedecer: "Resolva isso."

Antunes nunca teve dúvida de que o arranjo estapafúrdio que Custódia impusera de chamar um filho de Abel e outro de Abelzinho, em um sistema capenga de rodízio, cada um podendo ser uma coisa ou outra de acordo com a maré, era um completo delírio, uma bagunça sem pé nem cabeça. Aquilo não podia ir longe, nunca funcionou bem e criava uma confusão atrás da outra. Óbvio. Teria sido muito mais simples se cada um tivesse tido seu próprio nome desde pequeno, por pior que fosse esse nome. Mas bom senso não era o forte da família, a começar pelo próprio Antunes, que não só fez uma grande burrada, como a registrou em cartório. Ele jamais confrontou a sandice da mulher, culpado que era por toda a encrenca. Não ia tomar para si o papel de sensato. Ai dele se o fizesse! Chegou a ir ao cartório tentar mudar o nome dos filhos, mas era passado de mão em mão, de riso em riso... Tão complicado que largou pra lá. Foi empurrando, certo de que mais cedo ou mais tarde as coisas se acomodariam. Caim ia ser Caim, e a hora tinha chegado. A escola estava exigindo os documentos, cada filho ia ter que ter seu próprio nome: "Resolva isso."

A única coisa a fazer era inventar uma história para os filhos, pensou Antunes. Passou dias ensaiando, testando palavras e frases, antevendo a reação dos meninos, tentando encontrar uma maneira de explicar aquela situação absurda: um deles, ao som do despertador em uma manhã de segunda, passaria a se chamar Caim. Quem pode, com seis anos, entender uma coisa dessas? Nem com mil anos! O que dizer? O que esconder? O quanto mentir? Resolva isso, bêbado insuportável.

Era sexta-feira à tarde, Antunes saiu mais cedo do trabalho e chegou em casa com duas sacolas. Os meninos estavam no quintal construindo uma torre de coisas empilhadas: sapato, caminhão de brinquedo, caixa de baralho, pedras, pau, pano, cascas de inseto. O que eles achavam pela frente ia alimentando a tal pilha, e o desafio era não deixá-la desmoronar.

Poucos dias antes, um dos gêmeos levara uma surra do pai por subir no pé de abacate. Eram expressamente proibidos de tal aventura porque Custódia ficava louca e imaginava todo tipo de desgraça. Antunes flagrou a desobediência dos meninos depois de ter passado pelo bar com o "resolva isso" entalado na garganta e exagerou na reação. Queria ser a mão pesada da lei naquele dia. Mesmo tendo batido em um só dos gêmeos, a surra doeu nos dois. e a mágoa com o pai veio em dueto.

Mas naquela tarde, a ideia de fazer uma torre que ultrapassasse o abacateiro e os levasse às alturas, driblando o interdito do pai, teve um efeito terapêutico. Ao ouvir a voz alegre de Antunes chamando por eles da varanda, Abelzinho esqueceu-se da mágoa e gritou:

— Pai, você tem alguma coisa pra pôr na nossa pilha?

— Tenho uma coisa bem melhor aqui comigo, uma surpresa — respondeu Antunes.

Abel e Abelzinho se olharam com os olhos arregalados e saíram correndo para dentro de casa. O pai mandou que lavassem as mãos e que se sentassem à mesa da sala de jantar. Pressentindo que alguma coisa muito diferente aconteceria, eles obedeceram rapidamente.

— Sabe o que tem nessa sacola? — disse Antunes, entregando uma sacola para cada filho.

— Não.

— Não.

— Então olhem... Podem pegar, tirar tudo pra fora.

Os meninos, com suas mãozinhas pequenas, foram tirando coisa por coisa e colocando sobre a mesa. Cada caderno, cada lápis, cada objeto arrancava deles um encantamento, um olhar cúmplice, um sorriso que se esparramava tímido e indisfarçável.

— Esse é o material que vocês vão levar para a escola na segunda-feira.

— Isso tudo?

— Isso tudo, sim, senhor!

— Isso tudo é meu e do meu irmão, pai?

— Não, filho, isso tudo que está com você é seu. Só seu.

O olhar de Abelzinho explodiu em um brilho sem precedentes.

— Essa caixa de lápis de cor é só minha?

— Só sua, filho. O seu irmão vai ter a dele. — Abelzinho vibrou agarrando Abel pela cintura, tentando tirar os pés do irmão do chão, enquanto repetia eufórico:

— É só minha, é só minha...

— E sabe o que é isso aqui na minha mão? — continuou Antunes. — São etiquetas com o nome de cada um de vocês pra gente colar nas coisas, e não confundir o que é de um com o que é do outro. Sabe o que está escrito aqui?

— A-bel — soletrou Abelzinho, reconhecendo na letra do pai o jeito de escrever o nome deles.

— E aqui? O que está escrito?

— A-bel-zinho!

— Não, filho. Aqui está escrito Caim.

— Caim? — disse Abelzinho, olhando para o irmão, fazendo uma careta engraçada.

— É, Caim. Quando vocês nasceram, dei o nome de Abel pra um e Caim pro outro.

— Caimmm?! Nunca vi esse nome!

— Eu sei. Aqui em casa... vocês sempre foram Abel e Abelzinho...

— Porque a gente é igualzinho!

— Não é? Só que agora vocês cresceram, já vão até pra escola, e cada um vai precisar ter um nome só seu!

— Por que não pode ser Abel e Abelzinho?

— Porque o nome que está escrito no papel é Abel e Caim. E a escola exige o papel com o nome de cada um escrito. Sem esse papel aqui, ó, não pode entrar na escola.

— Quem vai ser Abel, pai?

— Quem vai ser Abel, filho? Quem acordar primeiro!

Notando o silêncio de um dos gêmeos, que até aquele momento não dissera nada, e o desconforto que o fazia desviar o olhar, Antunes perguntou:

— O que foi, Abel? O gato comeu sua língua?

Sem obter resposta, Antunes insistiu:

— Hein, filho, o que foi?

— Eu não quero uma caixa de lápis de cor só pra mim, pai — disse Abel, enquanto covinhas fundas vibravam em seu queixo uma incontrolável vontade de chorar.

Antunes rapidamente ocupou as mãos dos meninos, deu a eles a tarefa de colar, bem retinho e sem deixar enrugar, as etiquetas com os nomes em cada material. Foi o que bastou para distraí-los.

Naquela noite, Abel não dormiu... Naturalmente, foi o primeiro a acordar.

3

Vedina finalmente chora.

O moço na bicicleta, que minutos antes a vira dar um murro na árvore, não sabe o que fazer. Não esperava que ela se entregasse à sua compaixão de uma maneira tão aguada. E agora está ali, diante dela, e a cena não se desfaz. Ela aos prantos, ele segurando a bicicleta, uma das mãos no guidom e outra no banco. "Quer que eu ligue para alguém, moça? Você está com alguma dor?" Sim, ela está com uma dor terrível, a mais terrível de todas as dores. Os ombros sacodem convulsivos e em silêncio. O moço olha para um lado e para o outro e, como não tivesse ninguém vendo, afasta-se lentamente. Vedina continua doendo. Lembra-se do gato de rabo infinito no quadro sobre a cama de Augusto, e uma sensação pontiaguda atravessa seu peito. A lembrança do gato sobe pelo seu pescoço numa empolação calórica, precisava queimá-la com passadas largas e cegas. Volta a andar.

Sua avó Zilá pintara o gato e dera a ele o nome de Infinito. O avô, Waldir, morrera do coração. Perda total. Os pais de Vedina sentiram pena e ofereceram a filha, como se oferece um lenço limpo a quem chora. Zilá e Vedina passaram a viver juntas. Uma sustentando a outra.

Um dia, a avó encontrou no armário do avô um pincel que vira inúmeras vezes nas mãos dele. Ora pintando uma caixa de ferramentas, um pedaço inútil de madeira ou um patinete velho dos filhos crescidos e distantes, que nunca vinham visitá-lo. Zilá pegou naquele pincel como se pegasse nas mãos de Waldir. E quis pintar alguma coisa com ele. Fez primeiro uma lua redonda e branca em uma tábua velha e, abaixo dela, montanhas. Gostou tanto que comprou uma tela e fez um mar. Depois outra e mais outra. E assim foi vivendo de mãos dadas com seu amor. Um dia, fizeram um gato. O rabo do gato era infinito, continuava depois do fim da tela. Quando Augusto chegou da maternidade, Vó Zilá não era mais viva, mas o gato já morava no quartinho dele. Lembrar-se de Infinito naquele momento foi amarrar, com o rabo dele, uma pedra imensa e pesada no pescoço de Vedina. Se ela se jogasse num rio, nunca mais viria à tona.

Mas Vedina não é do tipo que se joga no rio, tem temperamento objetivo, seus braços balançam como um metrônomo quando ela anda. Sempre larga no meio livros com frases bonitas demais. Cansa. Não tem ritmo interno para poesia. Talvez porque nunca tenha gostado de ser um lenço limpo e bem passado que os pais tiraram do bolso e ofereceram para a avó. Um paninho para secar as lágrimas que o avô deixou. Se negava à sensibilidade necessária para compreender aquilo. Por que ela e não um de seus irmãos? Essa é uma pergunta que Vedina sempre se fez, embora naquele momento estivesse se perguntando se deveria ligar para a polícia.

A polícia sabe quando alguém mente, pensou. O tempo estava passando. Onde estaria Augusto? O que ela deveria fazer? Vedina aperta o passo e se afasta cada vez mais do lugar onde deixou o carro. Começa a sentir falta de ar quando pensa que, no escritório, devem estar ligando para Abel. Cléa tomaria providências vigorosas. Aconteceu alguma coisa, Abel? Vedina não apareceu até agora! Isso não se faz!, diria linha Cléa, arrematando com um nó bem apertado sua exclamação. Dito e feito: o telefone de Vedina vibra. Vibra. E depois vibra de novo. Era Abel.

16 | *Ir mãos.*

A sensação de Caim ao entrar pela primeira vez na escola o acompanharia pelo resto da vida. Ele sentiu uma excitação profunda quando, ao atravessar o corredor da entrada, deparou com um imenso pátio central ao ar livre, céu azul, cercado por todos os lados por edifícios de três andares, de corredores largos e inúmeras portas abertas que davam para tantas salas de aula que lhe pareceram incontáveis. No centro do espaçoso átrio, maior do que todos os quintais e alpendres que frequentara, uma quadra de basquete de verdade provocou nele um imediato deslumbramento. Em casa, costumava jogar basquete no quintal, quicando a bola de plástico no terreno irregular, salpicado de pedregulhos e cocurutos que avacalhavam seu desempenho. Era bom em arremessar na direção da cesta improvisada, um entroncamento de galhos de um abacateiro onde a bola se encaixava tão perfeitamente que por lá ficava, interrompendo o jogo, até a ação vigorosa de um cabo de vassoura.

Ao se ver dentro de paisagem tão inédita, Caim foi fisgado por um devir que se oferecia a ele como uma promessa. Depreendeu, num vislumbre, o que poderia viver ali. Foi a imagem inteira que o arrebatou. A algazarra dos reencontros. A intimidade dos amigos de infância. Os andares sendo invadidos por alunos de diferentes idades, diferentes fisionomias e toda sorte de cabeleiras. Os veteranos à vontade nos corredores largos, confiantes e atrevidos. Os novatos acabrunhados sendo direcionados pelos inspetores que, excepcionalmente, no primeiro dia de aula, se entregavam a uma acolhedora simpatia. Diversas velocidades se cruzando. Alunos encostados perigosamente no peitoril dos andares superiores, alguns gritando para os que estavam chegando no térreo. Risadas, choros, pastas enormes sendo arrastadas. Tudo num efeito arrebatador de texturas, movimentos e promessas.

Diante daquela ebulição iluminada por uma manhã de sol, atraído pelas escadas, pelas portas abertas, pelos amigos que faria, Caim sentiu-se forte. Tinha sua própria caixa de lápis de cor.

Ao seu lado, na mesma fração de segundo, diante da mesma imensidão, Abel apertou concentrado a mão de Caim, com a sensação incômoda de que ela estava prestes a lhe escapar.

Os dois foram encaminhados para o Primeiro C, sala de dona Graciema, uma baixinha dinâmica, de cabelos curtos, óculos grandes e fama de brava. Não por acaso. Dias antes, Custódia esteve na escola e exigiu, irredutível, que os meninos ficassem na mesma sala. A escola preferia separá-los, mas, diante da veemência da mãe e da história peculiar dos meninos, passaram ao dilema seguinte: em que sala eles ficariam? Por unanimidade, a escolhida foi dona Graciema. Dona Lurdinha era boazinha demais, dona Madalena, corajosa de menos, e a tarefa de acolher os filhos de "Custosa", apelido que não demorou a se espalhar no corpo docente, exigia uma professora que não se intimidasse diante de mãe nenhuma.

Quando Caim e Abel chegaram, as crianças se calaram com os olhos parados sobre eles. Uma mesma pergunta girou na cabeça de todos: como podiam ser tão iguais? Dona Graciema encontrava-se absolutamente preparada para recebê-los. Foi mais afetiva do que de costume. Apresentou os meninos à turma:

— Esse é o...

— Caim — completou Caim, explorando em voz alta a sensação de dizer seu novo nome.

— Então, esse é o Abel — disse dona Graciema. — Com o tempo vamos aprender quem é um e quem é o outro! — E, com a serenidade de quem já tinha pensado bastante no assunto, determinou que eles se sentariam separados.

— Separados? — perguntou Abel, esboçando, desconcertado, uma reação, que não foi levada em conta.

Caim faria dupla com Paulo Malta de Oliveira, na segunda carteira do lado direito da sala. Abel se sentaria mais ao fundo, ao lado de Patrícia Penna, na quarta carteira do lado esquerdo, de onde podia, sem ginástica alguma, apenas virando levemente o pescoço, observar Caim. Fosse outro o arranjo, talvez outra seria a vida.

Paulo era um menino de corpo inquieto. Sempre uma perna batendo, uma mão batucando, os olhos soltos no espaço. Procurava uma saída para sua inquietação. Tinha uma cara engraçada de quem está prestes a soltar um comentário atrevido em qualquer direção. Mesmo quando chorava, coisa que meninos de seis anos fazem com certa frequência, criava uma cena engraçada ao seu redor, onde ele mesmo acabava rindo. A própria dona Graciema perdia o rigor diante de seus ataques. Ele e Caim, de cara, gostaram um do outro e se tornariam grandes amigos.

Patrícia, ao lado de Abel, era uma menina bochechuda e educada. Muito educada para tão pouca idade. Tentou a todo custo estabelecer com seu colega de carteira uma relação civilizada, começando com um bom-dia todas as manhãs, muitos por favores e obrigadas. Oferecia o que comia, pedia licença ao se levantar, se dispunha a explicar alguma coisa que ele pudesse não ter entendido — o que ela supunha acontecer inúmeras vezes –, tudo com uma simpatia irritante aos olhos de Abel. Fosse ele menos arredio, teria notado que Patrícia poderia ser uma amiga divertida, tinha muita imaginação. Mas amigas, naquela altura da vida, não valiam de nada. De maneira que Abel não precisou de dois dias de aula para odiar estar ao lado dela. Rejeitou tanto Patrícia que, mesmo em sua timidez, usava de sofisticadas indelicadezas no trato com ela. Chegava a sentar meio de lado na tentativa de lhe dar as costas.

Naturalmente, depois dos primeiros dias de aula, já percebendo o estrago no humor de Abel, atolado em um silêncio inquietante, Custódia apareceu na escola determinada a botar ordem nas coisas. Foi encaminhada para a sala dos professores, seria recebida no intervalo da aula pela professora dos filhos. Estava colérica por constatar que a escola não levara mais do que um dia para afastar os meninos um do outro.

– Bom dia, dona Custódia.

– Bom dia, dona Graciema. Eu gostaria de pedir que Abel e Abelzinho sentassem juntos durante as aulas.

– Desculpe, a senhora disse Abel e quem?

– Abel e... Meus dois filhos, eu gostaria que eles se sentassem juntos.

– Tem algum motivo especial para isso, dona Custódia?

– Sim, estou certa de que é melhor para eles.

– Dona Custódia, não tenho dúvida de que a senhora sabe o que é melhor para eles, mas aqui na escola é importante que eles deem espaço um para o outro, que façam novos amigos...

– Agradeço sua preocupação – disse, interrompendo a professora –, mas prefiro que eles sentem juntos. Ainda hoje, se possível. – Ao dizer isto, ela já foi se levantando, como quem tivesse acabado de dar uma ordem, e saindo da sala.

– Dona Custódia, eu sinto muito, mas aqui na escola temos a obrigação de fazer o que consideramos melhor para os nossos alunos. A senhora pode ficar tranquila, temos muita experiência com irmãos cursando o mesmo ano. O ideal seria que eles nem estivessem na mesma sala. Um pode atrapalhar o outro...

— Um pode ajudar o outro. No caso dos meus filhos, estou certa de que um pode sempre ajudar o outro.

— Claro, podem mesmo, a senhora tem razão, e vão continuar podendo. Mas durante a aula precisam aprender a trabalhar sozinhos, cada um no seu espaço.

— Não me venha com essa lenga-lenga de cada um no seu espaço... Por favor, eu não estou pedindo...

— Não? A senhora não está pedindo, dona Custódia? — perguntou dona Graciema, levantando levemente o queixo.

Sem esconder que considerava uma petulância aquela pergunta ser feita com uma cabeça tão erguida, Custódia foi categórica:

— Acho que essa conversa não é mais com a senhora. Com licença.

— Fique à vontade. Sinto muito não poder ajudá-la.

Mal ouviu a última frase, Custódia saiu dali desafiada. Que desaforo! Depois de tanto esforço para unir os meninos, quem aquela sujeita pensava que era para promover a separação dos gêmeos, intrigar um com o outro? Não ia admitir! No dia seguinte, lá estava ela novamente, surtada, se fazendo receber por um dos diretores da escola, padre Tadeu.

Padre Tadeu era sempre o diretor escolhido para as causas perdidas, por ser quase um ser de outro planeta. Uma mansidão de homem, com tamanha boa-fé que perdia os limites do jogo social, ia direto aos pontos óbvios sem censura alguma e acabava por encaminhar qualquer impasse. Um interventor perfeito quando perder um aluno, ou dois, podia ser um bom negócio. A conversa com ele foi mais breve do que no dia anterior.

— Dona Custódia, a senhora veio ontem aqui e está voltando hoje, seja muito bem-vinda! Tenho pra mim que sei exatamente o que a senhora está querendo, mas... em se tratando de Caim e Abel, a história já nos ensinou que o mais sensato é manter um bem longe do outro! – disse brincando, o rosto alegre e honesto. – Não seria isso que trouxe a senhora de volta até aqui?

Diante de tamanha falta de cerimônia, Custódia chorou. No susto. Nem conhecia aquele homem para ouvir dele coisa tão explícita. Só não revidou porque ele era um padre, e ela abaixava a cabeça para os padres. Mas chorou, desceu toda a raiva havia muito reprimida, maldito Antunes! Por causa dele, era obrigada a passar por aquilo.

Padre Tadeu avaliou rapidamente que tinha exagerado, providenciou um copo d'água e deu a ela, depois pegou em suas mãos e, com doçura, despachou a mãe aflita:

– Não subestime o pai eterno, minha filha. Deus tem muita criatividade, não repete uma história memorável como essa, assim do nada. Fique tranquila, não se amedronte. Dona Graciema é uma das melhores professoras que temos nesta escola, seus filhos estão em boas mãos. Firmes e afetuosas. Vá com Deus e fique em paz.

Sem espaço para réplicas, foi levando Custódia até a porta e se despediu misericordioso. Ela saiu caminhando sobre pernas inconformadas. Confusa. Não sabia ao certo o que acabara de se passar... Não teve expediente de coisa alguma. Ouvira daquele padre, a um só tempo, um não e um sermão misturados. Sentiu-se contrariada por não ter reagido de alguma maneira, mas depois, a cada passo, foi repassando a conversa. "Deus tem muita criatividade, não repete uma história memorável como essa." Ele falava de Caim e Abel, naturalmente. Pareceu-lhe um pensamento óbvio, mas teve sobre ela um efeito apaziguador, embora de curta duração. Ainda assim, deu-se uma pequena trégua, o suficiente para a vida escolar de Caim e Abel engrenar.

Para aprender a fazer as letras no caderno de caligrafia, Paulo, sentado ao lado de Caim, punha meio metro de língua para fora, e ao final de cada letra restava ofegante. Os melhores comentários vinham desse cansaço. Passou a chamar as letras de minhocas e comentava em voz alta para o delírio da turma:

– Essa minhoca está faminta, dona Graciema, arrancou um pedaço do meu caderno! – Tanta força ele punha no lápis. – Dona Graciema, essa minhoca é doida, sobe e desce, sobe e desce... Escreve o quê com essa maluca?

– Homem, Paulo, esse é o H maiúsculo de homem – respondia dona Graciema, segurando o riso.

– Então é um minhoco – retrucava ele.

A turma vinha abaixo, em segundos todos estavam imitando Paulo, chamando as letras de minhocas e dando a elas as mais divertidas existências: contorcionista, bêbada, corcunda, voadora, metida a besta.

Na aula de matemática, lutando com as operações de somar e subtrair, Paulo também soltava suas pérolas:

– Dona Graciema, o que que eu faço? Meus dedos acabaram e os números continuam!

Ao seu lado, Caim passou a rir como nunca. Foi alfabetizado na gargalhada. Aprendeu a fazer contas com entusiasmo, sem medo do que não sabia. Tornou-se um curioso valente e alegre. Estudar e se divertir deram os braços e não desgrudaram mais.

De tempos em tempos, Caim olhava para Abel, querendo dividir com o irmão a euforia de estar sendo feliz. Fazia círculos com o indicador em volta do ouvido, denunciando que o amigo ao lado era pirado. Encontrava sempre Abel olhando de volta, como se dele nunca tirasse os olhos inexpressivos e indecifráveis. Recusava-se a dar a Caim um miserável sorriso que fosse, uma mínima distensão dos lábios ou uma solitária fagulha escapando dos olhos. Negava ao irmão a alegria de vê-lo entrar na brincadeira.

Já na primeira semana de aula, adivinhar o momento exato em que o sinal tocaria chamando para o recreio se tornou uma ocupação. Paulo e Caim saíam em disparada para as quadras atrás de uma bola de basquete, ou de futebol, ou de queimada. Rapidamente entenderam que quem chegasse primeiro seria o dono da bola e teria poderes de decidir qual jogo seria jogado.

A selvagem correria ignorava os esforços carrancudos dos inspetores, incapazes de fazer os meninos caminharem. Abel, no começo, tentou acompanhar Paulo e Caim, mas os perdia de vista com frequência, não tinha agressividade nas pernas. Por vezes, voltava desapontado para a sala com vontade de chorar, o que rapidamente aprendeu a sufocar. Quando insistia, chegava retardatário na quadra e ficava de fora, só olhando o irmão jogar. De tempos em tempos, Caim procurava por ele e insistia para que entrasse na primeira de fora, mas Abel se negava, mesmo que secretamente desejasse ter coragem.

Na arquibancada de cimento, a poucos metros dele, outro menino, chamado Antero, costumava se sentar. Ele era o único menino preto da escola. Não gostava de jogar bola, mas acompanhava concentrado todos os lances. Abel se perturbava com a presença dele, sempre que os olhos deles se cruzavam. Era como se dividissem uma mesma falta de lugar que Abel não queria revelar a ninguém. Ele via solidão em Antero, e tinha certeza de que Antero podia ver a solidão nele.

Caim aprendeu depressa a dominar a bola, como aprendia depressa qualquer coisa. Em pouco tempo, tornou-se um jogador cobiçado pelos interessados em ganhar, não importava qual fosse a modalidade de esporte. Até os meninos maiores passaram a prestar atenção nele. Tinha um jeito de craque, com a vantagem de não ser metido. Fazia amigos com facilidade, todo mundo o queria por perto.

Paulo, que se tornou imbatível em ser o primeiro a chegar na quadra, costumava jogar uma partida só e caía fora. Não demorou a descobrir que seu negócio não era exatamente a bola, mas os movimentos largos e sobretudo o risco. Subir nas grades, andar nos muros, descer os corrimãos, pular de um lugar para outro desafiando as distâncias. Com o tempo, foi se tornando radical nas manobras. Na adolescência, ganhou o apelido de Paulo Parede. Fosse nos dias de hoje, seria chamado de Paulo Parkour. Essa aptidão para o risco fez com que fosse advertido inúmeras vezes, por pouco não foi expulso da escola. Acabava sempre salvo. Padre Tadeu e os professores consideravam positiva a presença de Paulo Parede em sala. Suas notas eram medíocres, mas os dias com ele eram melhores. Paulo amaciava qualquer conteúdo de sete cabeças da grade curricular. Seu humor se revelou um aliado didático.

Aqueles anos de escola foram a prova mais cabal de que o belo não é feito só de beleza. Caim e Abel nasceram igualmente comuns, com proporções nada áureas. O nariz agudo, o rosto fino e os olhos simples demais. Eram estranhamente assimétricos. Não havia uma pista imediata que diferenciasse um do outro. Seguiram por muitos anos o regime de máxima semelhança, imposto pela mãe: no corte de cabelo, nas roupas, nos apetrechos. Mas, se eram idênticos por fora, a um milímetro abaixo da pele as diferenças esperneavam. Abel foi sendo Abel, Caim, sendo bonito.

Caim se desenhou com o esporte, os músculos passaram a exibir seu traçado, que, como diria o artista, já estava lá na pedra bruta. O sol nas quadras derramou sobre ele cores de saúde. A inteligência afiada, estimulada pela curiosidade e pelo bom humor, deu-lhe uma vivacidade atraente. Tudo o que fazia era com intensidade. Era surpreendente que um aluno pudesse ser tão brilhante nos estudos e ao mesmo tempo tão alegre no convívio. Fugia ao padrão do estudioso pálido e deslocado socialmente. Às vezes, para contrariedade dos amigos, sacrificava o recreio por um desafio matemático. Tinha uma enorme capacidade de concentração, mesmo que ao seu redor estivessem jogando conversa fora. Seu espírito inquieto e a liberdade que tomava de buscar novas maneiras de raciocinar, confiando na própria capacidade de pensar, irritavam alguns professores. Preferiam alunos sem tantas perguntas incomuns. Certa vez, quando já estava no primeiro ano científico, um professor de física, Inácio Santos, radical em suas convicções, ao perceber que Caim passaria com nota dez em todas as disciplinas, tirou dele, arbitrariamente, um ponto na prova final. Ao ser questionado pelo aluno, respondeu sem constrangimento: "Não é bom estar sempre certo."

Caim e Abel vieram ao mundo equipados com os mesmos itens de série, mas em Abel alguma coisa se ofendera. A palidez se derramou sobre ele, o desânimo nos movimentos parecia aprisioná-lo a um descompasso, e nada se aquecia perto dele. Custódia, em histérica hipocondria maternal, dava ao filho bifes de fígado acebolado, gemadas e até cerveja preta, como se lhe enfiasse goela abaixo o remédio para as indiferenças que o corpo insistia em padecer. Ia de tempos em tempos à escola reclamar do desânimo do filho. Que a escola soubesse estimulá-lo. Mas a escola não tinha o que fazer. Se o sal se tornar insípido, com o que se há de salgar? Abel foi sendo tomado pela falta de interesse por tudo que não fosse prestar atenção na mão que lhe escapava. O desamparo de não saber ser ele sem estar agarrado aos cinco dedos de Caim roubou-lhe a aderência: a vida não se agarrava nele. O mundo e sua explosão de possibilidades recusavam-se a nascer dentro de Abel. Física, química, matemática, português e todo o conhecimento útil e inútil tornaram-se uma intransponível chatice.

Em casa, Custódia seguia chamando um filho de Abel e outro de Abelzinho. Caim, a conselho de Antunes, se esforçava em ignorar. "Deixe sua mãe falar como bem quiser. Que diferença faz?"

A essa altura da vida, Caim e Abel já sabiam de onde vinha a perturbação recorrente da mãe. Na aula de religião, tomaram conhecimento da história de Caim e Abel. Foi um assombro acompanhado da zoada geral dos colegas. Ficaram pasmos, cada um a seu modo, com a loucura de terem sido batizados com aqueles nomes.

A questão virou um assunto debatido em casa com fervor e deselegância. Custódia, nessas ocasiões, acabava com Antunes na frente dos filhos. Vinha à tona toda a raiva que ela cultivava ao longo dos anos. O bêbado insuportável engolia as humilhações calado e culpado, depois bebia na rua e por lá mesmo vomitava. Tanto se discutiu o assunto que uma hora não se discutiu mais. Os medos da mãe continuaram imensos, os porres do pai também, mas o bate-boca se deu por encerrado.

Caim achava um exagero aqueles olhos injetados de Custódia quando o assunto aparecia. Dramática demais toda aquela reação. Não se comovia, desconfiava que a mãe tratava aquela mágoa como a um filhote de estimação. Já não sabia viver sem ela, mimava-a, alimentava-a e a faria durar tanto quanto duraria a própria vida. Tratou, então, de seguir o conselho do Antunes: ignorar.

Pelo pai, Caim também se calava, mas com um outro tipo de silêncio: tinha pena. Perdoava os excessos do pai porque via nele olhos tristes. Se o pai tivesse tido o respeito da mãe, teria sido outro homem. No coração de Caim, ele era um homem carinhoso e trabalhador, não um bêbado insuportável. Embora também fosse.

Na escola, nem quando o chamavam de "o matador" Caim se ofendia, considerava até um certo elogio aquele apelido. Viril. Mas Abel, não. Abel sofria ao ser chamado de "o morto". Não fosse a intervenção rigorosa dos professores, o apelido teria vingado em perfeita harmonia com a palidez de Abel.

A determinação de Caim de ignorar a obsessão da mãe em relação a seu nome se deu por encerrada no dia em que ele levou uma surra injusta do pai, e a mãe veio consolá-lo com diminutivos. Nesse dia, com seus doze anos de idade, ele parou de tolerar o diminutivo Abelzinho. E Custódia viu o que tanto temia: Caim carregar como uma alfaiataria aquele maldito nome.

Os gêmeos tinham ido para a Pregos & Etecetera com o pai, e este, por um motivo mal explicado e cheirando a álcool, ausentara-se por umas boas horas, deixando os dois sozinhos. Um comportamento excepcional para quem nunca misturava esbórnia e trabalho. Quando voltou, chupando menta atrás de menta, não demorou a notar que as coisas tinham sido completamente desorganizadas, nada estava na caixa onde deveria estar. Cinco mil itens perdidos na desarrumação, foi o que pensou com exagero. A raiva subiu à cabeça de Antunes filho, e ali mesmo quis saber quem tinha aprontado aquilo. Caim, que estava concentrado em seus deveres, entendeu rapidamente a encrenca em que o irmão se metera e, acreditando que uma raiva dividida por dois faria menos estragos, levantou o dedo assumindo a culpa. Confiou que o irmão, verdadeiro autor da lambança, faria o mesmo. Mas ele não fez. Deixou Caim apanhar sozinho do pai que, estando com o sangue movido a cachaça, não percebeu o tamanho da força que punha no cinto. Apanhou ali mesmo, a porta da loja devidamente fechada. Em meio à brutalidade dos golpes, Caim olhou no olho omisso de Abel e, com lágrimas escorrendo no rosto, manteve-se calado. Não era dedo-duro.

Quando chegaram em casa, Caim subiu para o quarto. O que menos doía nele era o corpo. A mãe foi atrás e desandou a falar. Pregava como uma fanática, exorcizando o filho, fazendo tudo arder mais do que precisava, até que terminou dizendo:

— Deus pode ver tudinho, até o fundo do seu coração, e sabe que você é um bom menino, só tem de se arrepender que Deus perdoa, viu, Abelzinho?

Nessa hora, Caim olhou para ela e disse como um homem feito:

– Para de ser louca, mãe! Meu nome é Caim. E se Deus pode ver tudo ele é muito injusto de não fazer nada.

Depois, se trancou no banheiro e dormiu por lá. No dia seguinte na escola, a cara lascada de fora a fora, perguntaram o que tinha acontecido. Caim não disse nada, o céu estava azul, e o que nele restara era suficiente para deslizar a bola na quadra.

4

Era Abel.

Ele nunca liga, mas está ligando agora. Meu Deus, o que dizer a ele? O telefone vibra, vibra até parar. Depois recomeça e insiste, pautando o ritmo da aflição. Vedina aperta o passo. Será que deveria voltar para o carro?

Não reconhece aquela rua. O tempo está passando... Augusto, apareça, por favor... Na palma da mão de Vedina, o nome de Abel vibra epilético. Ela não tem coragem de atender. Não tem coragem de colocá-lo pra fora da sua vida. A insistência de Abel piora tudo, a aflição dentro dela é como um céu tumultuado, cúmulo-nimbo chumbo prestes a desabar. Ele sempre piora as coisas. Sempre. E ela nunca foi boa em desobedecê-lo. Ignorá-lo. Que estranho poder ele exerce sobre ela. Que inexplicável impotência. Era ela quem conduziria aquela reunião importante no escritório. É bom que se diga, ela é uma profissional reconhecida por sua inteligência afiada. Em público, ninguém desconfia do tamanho a que se reduz diante dele. Vedina poderia viver sem os trocados que Abel leva para casa... Mas ela acredita que um dia poderá penetrá-lo. Acredita estupidamente demais. Abel é uma rocha. Ela encostou suas costas na rocha e tentou empurrá-la, os pés firmes no chão fizeram força até seus olhos se fecharem. Depois, cega, tentou com os ombros e eles se tornaram pesados. Como alguém tão inteligente podia ser tão burra?

Vedina decide voltar para o carro. Ao se virar, vê um clarão como um farol em alta velocidade vindo em sua direção. Cambaleia diante do branco branquíssimo do tecido absorvendo em dominó gotas vermelhas. Foi atropelada pela lembrança do que ignorara naquela manhã: o sangue nítido na meia dolorosamente branca de Augusto. A memória é um estômago em permanente refluxo, e a culpa é ácida como um suco gástrico. Como pôde? Em que loucura Abel a aprisionara? Vivia distante, em guerras imaginárias, confrontos intermináveis, perdia o melhor de ser mãe por causa de um homem. Por causa de um pau mesquinho. Augusto, juro por Deus que tudo isso vai mudar, promete Vedina enquanto apoia as mãos no muro, ignorando os chapiscos. Precisa desesperadamente de ajuda... É invadida pelo desejo indominável de ir para casa.

Ir para casa, para Vedina, não é como para qualquer um. Uma vez foi com a avó almoçar na casa dos pais. Foram recebidas com todo o capricho, a mesa posta, enfeitada, os irmãos competindo nos agrados e na boa educação. Depois do almoço, a sobremesa cremosa, o café passado na hora do jeito que a avó gostava. Então, o pai disse: "Vocês são de casa, fiquem à vontade, vou tirar uma soneca", e os irmãos também se foram e fecharam as portas dos seus quartos. Vedina ficou presa ao sofá da sala. Não passava de uma visita. A avó percebeu a tristeza na falta de lugar da neta e quis ir embora, queria levar Vedina para um lugar onde ela também pudesse fechar portas. Sob os protestos da mãe, as duas foram para casa.

Será que Augusto sabe o endereço de sua casa? Será que sabe o nome de sua mãe, de seu pai, seu próprio nome? Talvez saiba, pensa Vedina num quase sorriso. Ela volta a acelerar os passos, está confusa sobre onde deixara o carro, talvez na próxima rua... *Não, não está lá. Onde, meu Deus? Não posso perder mais nada!,* pensa, desesperada.

15

"Aos que matam um homem sem intenção será designado um lugar aonde possam ir"

Ao final do segundo ano científico, a situação escolar de Abel estava preocupante. Notas medíocres na maioria das matérias, e em matemática estava a um triz de tomar bomba direto, sem direito a fazer recuperação. Custódia morria com essa possibilidade, seria uma ferida para sempre aberta entre os irmãos, um afastamento com consequências imprevisíveis. Abel ficaria para trás.

Como sempre, movida por seu medo impulsivo, baixou na escola determinada a arranjar uma alternativa excepcional, obviamente inexistente, para ajeitar as coisas. Brigou, xingou, esperneou e foi parar na sala de padre Tadeu.

– Dona Custódia, o que a senhora pensa que nós podemos fazer?

– Não sei, padre, mas não posso deixar um filho tomar bomba e o outro passar de ano!

– Um vai passar com louvor. O outro vai tomar bomba por merecimento. São dois, tomaram caminhos diferentes!

– Mas se Abel ficar para trás... Não quero nem pensar!

— Se Abel ficar para trás? E daí? Não será o primeiro a tomar uma bomba no mundo! — disse padre Tadeu com sua franqueza inegociável.

— Padre, eu estou apavorada — confessou Custódia, num tom tão comovido e sem arrogância que padre Tadeu se apiedou.

— Dona Custódia, deixe que eu lhe conte a história de Caim e Abel.

— Eu conheço a história, padre.

— Tenho certeza que sim, mas, para nossa sorte, uma história sempre pode ser recontada. Caim foi o primeiro filho de Adão e Eva. O primeiro ser humano a nascer de um homem e uma mulher. Quase um teste pra ver se a engenhoca procriadora inventada por Deus funcionaria. — Custódia enrubesceu, padre Tadeu era sempre muito trabalhoso para ela. — E funcionou — continuou ele. — Caim foi o primogênito dos primogênitos, naquele tempo isso tinha um valor tremendo. E Eva amou seu primeiro filho, está escrito, sentiu que tinha alcançado do Senhor uma graça. Quando Abel nasceu, o segundo filho de Eva, ela já estava escaldada, sabia que filhos são uma graça que custa muitos esforços. Não se manifestou. Pois bem, Caim se tornou agricultor, trabalhava perto de casa, suponho, porque agricultores estão presos à terra, não podem se afastar. Imagino que morasse junto com os pais e que tivesse nisso algum conforto e proteção. Abel, ao contrário, se tornou pastor de cabras. Precisava sair por aí, completamente sozinho, num mundo despovoado, exposto a intempéries, sujeito ao desconhecido, dormindo ao relento, podendo ser devorado a qualquer momento por animais selvagens inimagináveis. Até aqui, não vejo motivo nenhum para Caim sentir inveja de Abel, pelo contrário. A senhora vê?

— Não... — respondeu, contrariada.

— Pois bem, um dia, imagino que com o coração leve e livre da inveja, Caim ofereceu ao Senhor o que plantou e colheu, fruto da terra e do seu trabalho. Era o que ele tinha para oferecer, afinal, ele era agricultor! Sempre achei um bonito gesto. Depois Abel, que era pastor, ofereceu ao Senhor as primícias e as partes mais gordas de suas ovelhas primogênitas, uma beleza, também era o que ele tinha para oferecer. Como todos nós, só podemos oferecer o que temos. No entanto, o Senhor aceitou com agrado a oferta de Abel, mas nem atentou para a de Caim. Rejeitou-a. Caim ficou furioso e eu, se fosse ele, também ficaria!

— Não é bem assim, padre! Abel ofereceu o que tinha de melhor, mas Caim, não, ofereceu qualquer coisa!

— Isso não está escrito, dona Custódia. É uma interpretação. E, como toda interpretação, carrega um pouco do desejo de quem a faz. Não será diferente comigo. Aprendi com meus pais, e a senhora também deve ter aprendido com o seus, que a cavalo dado não se olham os dentes. Por isso, não é difícil estranhar a atitude de Deus com a oferenda de Caim. Mas, naturalmente, Deus, que é justo, sabia o que estava fazendo. A pergunta que me resta é: por que Deus quis provocar a ira em Caim?

— O senhor está acusando Deus de que, padre Tadeu? De ser o culpado pelo que Caim fez? Deus errou?

— Deus não erra, dona Custódia, mas faz coisas terríveis, se for necessário, para nos ensinar o que é importante. A raiva que Caim sentiu foi imensa, e Deus sabia que seria. Primeiro que Ele sabe tudo, segundo que ser rejeitado por Deus não é pouca coisa. Imagine a senhora: tudo que Deus faz é muito bem-feito, sua rejeição deve doer nos ossos. Ainda assim, Deus pergunta: "Por que você está com tanta raiva, Caim?" Se não confiássemos em Deus, poderíamos ver nessa pergunta até um certo escárnio. É como se eu machucasse a senhora e depois perguntasse: "Por que a senhora está machucada?"

— Que é isso, padre Tadeu, o senhor está...

— Mas Deus é bom, dona Custódia. Fique tranquila, nós dois acreditamos nisso, e naquele momento estava em pleno exercício de

Sua didática. Um pouco torta, mas divina. Queria ensinar a Caim e a todos nós que o nome do que ele estava sentindo era raiva e que a raiva nos inclina fortemente ao risco de agir mal. Nos desajusta. A raiva de Caim era tão imensa, tão poderosa em seu corpo, a ponto de deformar seu semblante. Está descrito. Caim não conseguiu dominá-la. Talvez não soubesse muita coisa sobre matar ou morrer. Não sabia que uma pedrada na cabeça, ou um empurrão no precipício, ou um ferro no ventre derramava sobre a terra um sangue irreversível. Não sabia que matar era para sempre. Queria apenas se livrar daquele sentir pulsante, visceral, que o dominava. Lembre-se de que até então ninguém nunca havia morrido ou matado um ser humano. Matavam-se cabras, talvez, mas cabra é outro bicho. O mandamento de Deus – "Não matarás" – só apareceu na história muito tempo depois através de Moisés, e junto com ele veio a sentença: aquele que matou deve também ser morto, olho por olho, dente por dente. Mas, com Caim, Deus não aplicou a pena que ele mesmo dimensionou ser justa. Por que será que Deus não quis ser exemplar com o primeiro assassino do mundo, já mostrando a toda a humanidade que matar não seria tolerado? Ao contrário, deu a ele um lugar para onde ir, colocou um sinal em Caim para que ninguém o matasse e ainda determinou que, se alguém o fizesse, seria vingado sete vezes. Não toquem em Caim! Esse foi o recado claro de Deus. Porque sendo Deus justo, sabia que foi de Sua vontade a ira de Caim, e conhecendo todas as coisas, sabia a que consequências a ira poderia arrastá-lo. Ao matar Abel, Caim foi um instrumento de Deus, cumpriu um propósito divino de nos ensinar alguma coisa. Que coisa, dona Custódia?

– Não acredito que fosse um propósito de Deus Caim matar Abel. Ele foi amaldiçoado pelo que fez! Abel era um filho amado, padre.

– Jesus também, dona Custódia. Deus não teme sacrifícios. A senhora sabe o que significa o nome Abel? "Vapor, névoa", o que se desfaz rapidamente, um nada, prenúncio de um destino reservado a ele desde o nascimento. É claro que ninguém pode matar ninguém, e quando Deus, que nos fez ignorantes, quis que soubéssemos disso, escreveu com todas as letras a Lei na pedra. Mas, na história de Caim e Abel, o mais importante para Deus era nos ensinar outra coisa. Que coisa?

— Estou achando que o senhor está pecando com essa conversa...

— Dona Custódia, Deus queria nos ensinar o quanto pode ser brutal, o quanto pode machucar, com consequências aterradoras, destrutivas, quando um pai compara dois filhos e não aceita que eles possam ser diferentes. Deixe seus filhos em paz. Aceite o que cada um pode oferecer, o que cada um é. — E, levantando-se como quem encerra por ali a conversa, padre Tadeu disse, repentinamente incisivo:

— Mas, antes, puxe a orelha de Abel, que as notas dele estão uma vergonha. Neste caso, ele pode dar muito mais.

— O senhor está brincando com coisa séria, padre, porque não sabe o que é ter um filho.

— Nem um, nem dois. Sei apenas o que é ter um rebanho inteiro que me dá muito trabalho. Brincadeira, dona Custódia! Estou convencido de que é mais fácil conduzir um rebanho do que uma ovelha. Deus te abençoe e proteja, minha filha.

Custódia saiu da sala de padre Tadeu achando que ele era um desajustado. Subversivo, até. Praticamente acusou Deus de mandar Caim matar Abel. Que Deus escolhe uns caminhos pra lá de tortos ela não podia negar, mas sempre para fazer o bem. No fim das contas, não é mesmo o bem que importa? Não é isso que Deus insiste em nos ensinar? Quem tem a virtude acaso precisa de leis? Ao chegar em casa imersa nesses pensamentos, Custódia, certa de que seria compreendida, disse a Caim:

— Não sei o que você pode fazer para que seu irmão não perca nem um ponto na prova de matemática, mas faça.

5

Não posso perder mais nada!, pensa desesperada.

Vedina aperta o passo, aflita. Segue em frente, vira, passa em lugares que já havia passado, volta enquanto os dedos apertados no sapato latejam. Quer correr, mas correr pra onde? Quer escapar, mas não escapará. Cruza com um velho e seu cachorro farejando a calçada. Outras pessoas também passam por ela, encapsuladas na normalidade. Vedina daria tudo para ser outra pessoa. Daria o que não tem!

Há uma fila grande na esquina. É uma casa lotérica vendendo um prêmio acumulado. Todos se agarram à esperança mínima. Vedina trocaria um prêmio daqueles por Augusto. Daria a vida por ele. Mas quem vai acreditar?

O telefone volta a vibrar e, desta vez, é da escola. Ela estranha a ligação. Augusto já faltara aula outras vezes e nunca ligaram. O que aconteceu? Por que Augusto não veio à aula? Adoeceu? Abel já deve saber que Augusto não chegou à escola. Foi ele quem disparou o alarme. Vedina não atende.

"Ali!", deixa escapar um grito ofegante ao ver seu carro estacionado. Entra, liga, acelera e volta para o lugar onde havia deixado Augusto. Estaciona sobre o passeio. Ninguém buzina, sua tragédia não atrapalha mais o trânsito.

"Alguém viu um menininho com um Power Ranger na mão e uma mochila colorida?", pergunta inúmeras vezes, mostrando a foto de Augusto no celular. Todos dizem não, indiferentes, atarefados, apressados... A tragédia dos outros é um fato corriqueiro, ninguém se abala. E as geleiras derretem. Os carrinhos no supermercado são empurrados pelos corredores. Na padaria, mais uma fornada de pães acaba de sair do forno. Todos estão concentrados em seus afazeres, nenhum esforço adicional será feito para ajudar Vedina. Se ela mesma foi capaz de fazer o que fez, quem deveria se importar? "Por favor, moça, olhe direito, ele tinha uma mochila colorida. Você não viu?"

Na mochila colorida, Vedina pusera mais dinheiro do que de costume. Graças a Deus, sente alívio ao se lembrar. Mas... por que fizera isso? Não, não, não!, pensa horrorizada. Pelo amor de Deus, um pouco mais de compaixão, implora. Não foi premeditado. Claro que não! Não mesmo? Seu coração dispara. A polícia sempre sabe quando alguém mente.

14

Deus lutou para ser único, conseguiu ser o de cada um.

O professor de matemática Adilson Campos Valente recebeu de Paulo Parede o apelido de "Imensa". Depois de um mês de aula com o dito-cujo, ao avistá-lo no final do corredor se encaminhando para a sala, Parede, como quem anuncia, diante do rei, a entrada de um súdito no palácio, gritou: "Lá vem o imensamente baixo, imensamente mal-humorado, imensamente cruel professooooor Adilson: o nefando 'Imensa'!" O episódio deu origem à alcunha que o professor ignorou solenemente, sempre imaginando se tratar de uma referência, ignorante por sinal, à sua diminuta estatura, uma vez que se queriam apelidá-lo ironicamente, deveriam chamá-lo de "imenso" e não "imensa".

Professor Adilson sabia muito matemática, embora não fosse um bom professor. Para os que reduzem a vocação de ensinar a um saber inquestionável, talvez até fosse. Tinha, inclusive, didática, é preciso admitir. Explicava perfeitamente os raciocínios lógicos, os teoremas, as equações, a confiabilidade dos números entregues à mais absoluta previsibilidade dos métodos. Exigia de seus interlocutores, como diria ele, inteligência. Segundo suas convicções:

"Ou se é ou nunca se será inteligente. E a matemática é a prova dos nove. A afinidade com a disciplina é como um nariz, não se adquire, tem-se um e pronto." Uma vez convencido de tal verdade, irritava-se abertamente com o que chamava de burrice, qualidade dos que não aprendem matemática com facilidade. Diante dela, era, ele mesmo, um número inflexível e sem sentimentos. Um conhecedor brilhante de matemática, não há dúvida, mas não um bom professor. Não inspirava. Os alunos com outras inteligências, frase que arrancaria dele um sonoro "*bullshit*", sofreram, ao longo de todo o ano letivo, desprezo explícito e, dependendo do dia, manifestações calorosamente rudes, humilhantes e emburrecedoras.

Naquela manhã de segunda, Imensa chegou na sala mais aguerrido do que nunca. Mal deu bom-dia e distribuiu para a turma, corrigidas, as provas finais de matemática, que aplicara na semana anterior. Foi colocando uma a uma as questões no quadro e chamando diferentes alunos para resolvê-las. Havia um indisfarçável prazer em expor os fracassados. Ao escrever a quarta questão, Imensa mal podia esperar pelo que se prometia:

— Vejam vocês que grande acontecimento, esse é um problema que cai em minhas provas há mais de dez anos. Pela primeira vez, nesta sala, um aluno conseguiu resolvê-lo.

— Se não foi Caim, eu ando no teto! — emendou Parede, rufando na mesa tambores imaginários.

Caim, que agora se sentava atrás do amigo, sentiu o corpo contrair e chutou a canela do impertinente.

— Pois prepare-se para andar de cabeça para baixo, senhor Paulo, desta vez o gênio até se parece com Caim mas não é Caim. Quem será?

— Isso é um enigma insolúvel, quem poderia ser? — Parede não se conteve, já entendendo que a lambança estava feita. A turma repercutiu, barulhenta.

— Senhor Abel, faça o favor de vir nos explicar, passo a passo, seu raciocínio brilhante — disse professor Adilson, olhando para Abel e lhe oferecendo com firmeza o giz.

Abel não se moveu. A timidez, que o expunha ao embaraço permanente, misturada ao apuro da situação, tirou sua capacidade de comandar as pernas e também o sangue. A cara se avermelhou, suscitando a níveis patológicos a vontade de se desintegrar. O suor começou a descer. E, como ele não se mexesse, professor Imensa foi buscá-lo pelo braço e o colocou diante do quadro e diante da turma.

— Vamos, Abel. Estamos todos esperando. — Abel se virou de costas para os colegas. Lia e relia o enunciado sem enxergá-lo, tentando entender como escapar. Seu coração podia ser ouvido, assim como os pedaços de giz que caíam no chão triturados entre seus dedos.

— Professor... — começou Caim, mas foi severamente interrompido:

— Cale a boca, Caim. A conversa não é com você.

— Eu sei, mas...

— Ou você se cala, ou vai sair da minha sala agora. O problema aqui é trapaça. Desonestidade.

Abel, ainda de costas para a turma, sentia o corpo tremer. A sensação de ser desmascarado lhe era insuportável. Olhou na direção da porta aberta, deixou cair da mão o resto de giz e fugiu. Saiu da sala, fios de urina escorrendo pelas pernas: a humilhação suprema.

— Professor Adilson, a culpa não foi de Abel...

— Disso eu não tenho a menor dúvida. A evidência maior da falcatrua de vocês dois nem foi seu irmão acertar uma questão difícil, foi você errar tantas questões idiotas. Não posso fazer nada contra a burrice de Abel, tenho certeza de que a grama lá fora o alimentaria muito melhor...

— Epa, epa! Vejam só, minha gente — interrompeu Parede aos berros, com as mãos em concha cercando a boca para amplificar o som da voz empostada. — O imensamente cavalo está dando coices!

Sem se conter, Parede subiu na própria mesa e disparou saltando em direção ao quadro, até que imprimiu a marca da sola de seu sapato sobre a equação escrita a giz. Saiu de sala seguido pelo olhar raivoso do professor e pelo bafo ruidoso da turma.

O corpo pequeno de Imensa, enrijecido pela ousadia de Parede, colocou-se diante de Caim, que acabara de se levantar, impedindo que ele passasse. E, como ninguém queria perder uma só palavra do que se daria ali, o silêncio foi completo:

— Inteligência com desonestidade é uma combinação perigosa — disse um indignado Imensa. — Nunca se esqueça disso. Estou pouco ligando para o seu irmão que não vai ser coisa nenhuma na vida. A burrice é destino. Mas você? Tenho a obrigação de tentar fazer alguma coisa por você, embora a contragosto. Não desperdice sua inteligência excepcional com esse caraterzinho medíocre. Agora, saia da minha frente e vá para a diretoria.

Caim saiu. E, pela primeira vez, teve vontade de matar alguém.

Ao fugir da sala de aula, Abel foi direto para o banheiro. O corpo vazava mijo. Tumultuado, cego de um sentimento que não sabia definir, fez suas abluções. Rosto, pernas e nuca, ungidos por uma água limpa incapaz de levar sua vergonha. Ali ficou até que tudo secasse com a ajuda áspera de um papel higiênico de segunda categoria, o único possível de sustentar tantas bundas mal-educadas no desperdício. Saiu de lá perturbado com o cheiro de urina que o acompanhou porta afora. Parou encostado no guarda-corpo do segundo andar. Ficaria ali para sempre. A expressão progressivamente distante, quanto mais o caos se apossava dele. Foi engolido pela exaustão, os pensamentos incapazes de formar uma frase inteira.

No prédio em frente ao que estava, viu o inspetor Tobias. Foi visto também. Não se importou, permaneceu imóvel. Tobias viria levá-lo com seu passo severo, e ele não fazia a menor ideia de para onde o levaria, mas sentiu-se grato. Não poderia ir a lugar nenhum sozinho, nunca pôde. O passo de Tobias em sua direção ganhava ritmo. Mas o percurso era longo e, antes que ele chegasse, por uma distração inexplicável de seu estado catatônico, viu atravessar o pátio, no andar de baixo, uma menina que nunca tinha visto antes. A pele muito clara, os cabelos castanhos até os ombros, lisos, a franja curta, a mais curta franja que já vira em uma menina, graciosa, e um jeito de andar desarmado. Nada pesava sobre ela, talvez fosse um anjo, talvez flutuasse, pensou Abel. Antes de entrar no prédio de onde ele a observava, exatamente quando estava na direção dele, ela olhou para cima e o viu. Sorriu. Foi como se ele tivesse visto a si mesmo pela primeira vez na vida, através do olhar dela. Por um segundo, as coisas ruins ficaram suspensas.

Seu nome era Veneza. Como a cidade. E como quem a avista pela primeira vez, Abel foi tomado, sem palavras, pela intensidade da beleza, pela experiência arrebatadora de pôr no lugar firme das ruas os rios. Essa breve aparição afastou dele a vontade de morrer. Sentiu depois, sem resistência alguma, Tobias pegar em seu braço, e foi com ele para a sala da diretoria. Mas já não era, nunca mais, o mesmo.

O bafafá que se deu na aula de professor Adilson tornou-se o assunto na escola por semanas. Não só pelo espetáculo dentro da sala de aula, que não tardou a ser contado e aumentado, mas pelo que se passou na sala da diretoria depois. Os três, Caim, Abel e Parede, estavam sentados havia um bom tempo na antessala, esperando pelo padre Alberto, considerado o diretor mais severo da escola, que expulsava sem dó quem ultrapassasse limites considerados sagrados. Desrespeitar a integridade física de um professor, por exemplo, era falta imperdoável. Inegociável. Mas, naquele dia, por um mal-estar repentino que o assolou, quem chegou para resolver o litígio foi padre Tadeu. O imprevisível era o que se podia esperar, e um tanto de bondade, sempre.

O primeiro a entrar foi Parede. Padre Tadeu conhecia bem a ficha corrida do infrator e, ainda assim, nutria por ele uma simpatia genuína. Apreciava a juventude que via, como uma larga aura brilhante, naquele rapaz alegre. Sempre sorrindo. O corpo corajoso explorando sem medo os limites, as alturas, os saltos. O que seria dos homens sem essa coragem? Que mares teríamos atravessado? Era assim que padre Tadeu via as loucuras de Parede, com olhos de fé. Confiante de que havia um interesse de Deus nos homens sem medo. Fora conferir, com inconfessável entusiasmo, a que altura a marca do sapato de Parede havia chegado no quadro. Que voo! Que talento aquele menino tinha, pensou consigo. Fosse por ele, a advertência seria uma boa conversa. Diria a Parede que se contivesse no ambiente de sala de aula, onde os grandes saltos devem ser dados com a mente. Apreciava sua hombridade em defender um amigo que considerou estar sendo humilhado. Havia beleza nisso. Mas era preciso, sim, aprender a equilibrar seus ímpetos, tanto os do espírito quanto os do corpo, sem jamais feri-los de morte. Mas naquele momento, padre Tadeu não podia falar apenas em seu nome. Precisou ser mais rigoroso. Parede foi suspenso por uma semana, e seus pais, advertidos de que essa seria a última oportunidade dada ao aluno de continuar a estudar no Colégio Santa Maria.

Depois veio a conversa com Caim e Abel. Havia em padre Tadeu uma compaixão pela história dos dois e o ensejo de ajudá-los. Nomes difíceis de carregar, muitos sussurros por onde passavam, comparações dolorosas e intermináveis, e uma mãe como dona Custódia. Não se pode desconsiderar o peso de uma mãe, que ama em desmedida e insiste em cobrar de filhos tão diferentes as mesmas oferendas.

— Vocês não foram os primeiros nem serão os últimos irmãos gêmeos a fazerem uma troça dessas: trocar de lugar um com outro. Confesso que até eu, que sou um pouco mais santo, gostaria, em alguns momentos, de ser outra pessoa. Muito me espanta que vocês não tivessem feito isso antes, mas também preocupa que o tenham feito justo agora, que já não são mais crianças. O que aconteceu? Que tolice foi essa?

— Eu quis ajudar Abel, padre. Ele não podia perder nem um ponto na prova...

— Não podia por quê?

— Porque senão ele vai tomar bomba.

— E por que ele não pode tomar bomba? — Caim se atrapalhou por uns segundos e depois deu de ombros, como se também não entendesse a gravidade em questão.

— Por que você não pode tomar bomba, Abel? — perguntou padre Tadeu, determinado a esperar pela resposta. Caim se mexeu na cadeira, aflito. Conhecia o irmão, sabia que aquela espera poderia durar horas. Pensou em sua mãe, no que ela lhe dissera: "Faça." A culpa era dele e da mãe, Abel não pediu nada, foi ele quem insistiu. Sentiu que precisava dizer alguma coisa, mas, para sua surpresa, Abel falou primeiro:

— Se eu tomar bomba não vou mais ser da sala de Caim.

— Não vai mesmo. Qual o problema?

— A gente vai... se separar.

— Ah não, isso não! Isso não pode separar vocês, Abel. O que pode realmente separar vocês é Caim aprender e você não. Você compreende isso? – Abel balançou a cabeça dizendo sim, os olhos umedeceram, talvez porque já experimentasse com imensa força aquela distância. Tantas vezes ele queria ser outra pessoa, tantas vezes. – Estude, Abel! No ano que vem, estude, aprenda e passe! Não tem outro jeito, meu filho, se você não se esforçar, não passa. Mas se estudar, passa. E o que é melhor, e muito mais importante, aprende! – disse, confiante, padre Tadeu, dando-se por satisfeito e encerrando a conversa sem se alongar. – Agora, vocês podem ir. O professor Adilson é quem vai decidir o que fazer. Se vocês farão uma nova prova ou se vão perder os pontos... Não sei exatamente o que será. Em breve saberemos como tudo isso se ajeita.

Em casa, quando a notícia chegou e se confirmou a decisão de professor Adilson de não aplicar uma nova prova, a bomba de Abel caiu sem explodir. Custódia reagiu no modo pianíssimo, para espanto de Antunes e de padre Tadeu, que já a imaginava furiosa em sua sala na manhã seguinte. Desta vez, ela não deu um pio. Não podia reclamar de peito aberto, estava implicada demais. Fora ela a mentora da conduta reprovável dos filhos, embora fosse capaz de negar, caso Caim a delatasse. Negaria, em nome de um bem maior: não perder o respeito de todos. Não daria conta de um constrangimento desse tamanho. Agarrar-se-ia ao fato de que tinha dito mas não dito... Tinha sido mal interpretada. Para sua sorte, Caim não era dedo-duro.

A encrenca toda não parou por aí, a situação de Parede ainda teve outros desdobramentos. O encaminhamento de padre Tadeu para aquele imbróglio causou grande revolta no professor Adilson, que dava como certa a expulsão do aluno. Sua versão da história incluía de forma veemente a ameaça física que sofrera com aquele símio voando em sua direção, em plena sala de aula. Sentiu-se vítima do maior desacato de toda a sua trajetória de professor. Inconformado, solicitou uma reunião com os diretores, na esperança de conseguir reverter a decisão tomada em relação à continuidade do agressor na escola, uma vez que fora arbitrada por padre Tadeu, um aparvoado, todo mundo sabia. Considerava imprudente abrir precedente tão inaceitável.

– Como os senhores já sabem, há dois dias fui profundamente desacatado e agredido, dentro de sala de aula, pelo aluno Paulo Malta de Oliveira. Acredito que seja um caso de expulsão e não de suspensão, por isso peço aos senhores que reconsiderem a decisão tomada.

– Por que o senhor está tão convencido de que é um caso de expulsão? – perguntou, retoricamente, padre Alberto, uma vez que já havia conversado longamente com o professor, tendo formado, junto com ele, um juízo sobre o acontecido.

– Porque fui ameaçado em minha integridade física.

– Se houve ameaça à sua integridade física, não há o que discutir. É um caso de expulsão imediata. Precisamos ser exemplares com isso!

– Esse rapaz interrompeu grosseiramente uma situação que eu buscava contornar. Os senhores sabem que os irmãos Caim e Abel fizeram a prova de matemática um do outro. Como educadores, temos a obrigação de não admitir um comportamento de natureza tão desonesta. O aluno Paulo arvorou-se em defesa dos irmãos e partiu para cima de mim aos saltos e berros. Além de me chamar de cavalo, incitar a turma contra mim, subiu nas mesas e chutou o quadro, de maneira simiesca.

– Padre Tadeu, não podemos tolerar uma coisa dessas! – disse, histriônico, padre Alberto. – Não há dúvidas sobre a gravidade do que aconteceu. A escola não pode fazer vista grossa para esse tipo de comportamento...

– Professor Adilson – interrompeu padre Tadeu, impressionadíssimo com a afinidade teatral de seus interlocutores, o tom solene e formal –, o senhor poderia nos contar o que fez o aluno Paulo se comportar dessa maneira? O que despertou nele tamanha animalidade?

– Acho que isso não está em questão, padre Tadeu – disse, irritado, padre Alberto. – Nada justifica uma atitude dessas, não somos animais!

– Exatamente, esse é meu ponto, padre Alberto. Acredito que não temos aqui grande divergência. Concordamos com o essencial: precisamos ser exemplares e não somos animais. Um professor, de quem pressupomos maturidade e sabedoria, não pode chamar um aluno de burro. Um aluno, de quem esperamos imaturidade e muito a aprender, não deve chamar um professor de cavalo. Mas sendo burros e cavalos parentes, merecem que os tratemos com equidade, mesmo os cavalos se achando superiores aos burros.

– Padre Tadeu, o senhor está sendo mal-educado! – gritou padre Alberto, dando um murro na mesa.

– Estamos todos precisando ser educados por aqui. E não há lugar melhor para isso do que uma escola. Sugiro que todos fiquem e aprendam. Ou desistiremos uns dos outros?

– Um aluno precisa aprender a respeitar um professor, não é possível que o senhor queira colocar isso em questão!

– Um aluno precisa aprender a respeitar todos. E o professor deve ser um exemplo. Não é também o que o senhor acredita, que devemos ser exemplares? – E, voltando-se para o professor, com imensa sinceridade, padre Tadeu continuou: – Professor Adilson, conheço o aluno Paulo desde que ele era muito pequeno. Peço seu voto de confiança. Tenho para mim que ele jamais o agrediria. Essa exuberância física é o jeito dele, precisa ser controlada, não há dúvida, não estou defendendo o comportamento dele, que precisa ser punido, mas esteja certo, ele não é agressivo. Pergunte a todo o corpo docente o quanto esse rapaz vem iluminando, com sua alegria, as aulas desta escola. Somos educadores, deveríamos encaminhar e não julgar esse rapaz. – E levantando-se como quem dá por encerrada sua participação, disse, olhando para padre Alberto com olhos tão penetrantes que o desconcertou: – Se o senhor decidir rever minha decisão, eu aceitarei. Mas o faremos tanto em relação ao aluno quanto em relação ao professor. Só não seremos injustos... Eu me esforço para não ser injusto, padre. Prefiro parecer um bobo, apatetado, a ser injusto. Sou um padre, tenho compromissos profundos em educar esses rapazes.

Na semana seguinte, Paulo Parede, ao entrar na aula de professor Adilson, pediu desculpas solenemente, diante de toda a turma, sem a mais remota sombra de ironia. Estava de volta, amansado, sabe-se lá ao preço de quantos cascudos.

Àquela altura, faltavam pouco mais de vinte dias para o ano letivo terminar. O suficiente para se tornarem dias que não poderiam ser esquecidos.

6

A polícia sempre sabe quando alguém mente.

Diante da polícia, uma pessoa duvida de si mesma. Diz a verdade enquanto sua frio como se mentisse. Mas se mente mesmo, eles sabem. Parei para buscar água porque Augusto engasgou com uma bala... Deixei meu filho no carro por um segundo e, quando voltei, ele não estava mais lá! Ele não estava mais lá é uma verdade que um detector de mentiras não pode negar. Como não pode negar o desespero de Vedina ou detectar traços de inverdade em seu desejo de encontrar Augusto. Mas a polícia sabe reconhecer o que um pedaço de verdade esconde. São cães farejadores, sentem a camada abaixo da camada abaixo do desespero.

Quem, então, acreditará na dor de Vedina? O que é preciso apalpar para acreditar na dor de alguém? E se os atos desse alguém são responsáveis por sua própria dor, quem se compadecerá? Ah... O que separa o justo do vingativo são poucas células no coração. Vedina contracena consigo mesma, e seu drama não empolgará os fardados. Não comoverá os esclarecidos. Não alcançará Abel. E,

quando pensa em Custódia, curva-se sobre a boca do estômago. Melhor enfrentar o juízo final. Augusto, por favor, onde você está?

O tempo está passando. A demora será usada contra ela. Para quem ligar? Como dizer a verdade sem tremer ao escutar a própria voz em ressonância? Augusto quebrou seus cristais, soltou-se do cinto de segurança, chutou sua cabeça, tudo isso antes das sete e meia da manhã e depois de cinco exaustivos anos, exigindo uma felicidade que Vedina não tinha a oferecer, sem a qual o amor não é bonito. Mas nada será considerado atenuante em um julgamento. Certamente alguma mãe no mundo, nem que seja uma única mãe no mundo, há de reconhecer o fio afiado dessa navalha e quantas vezes caminhou sobre ele com braços abertos, tentando encontrar o equilíbrio e, por vezes, não o encontrou. O gesto brusco não nasce de uma intenção. Irrompe, vaza o limite da alma exausta, é um corpo em derrame. Alguém pode compreender isso? Não!!!!, gritam as vozes do mundo ressoando as escrituras onde a falta de perdão é fulminante. Há verdades íntimas demais para serem aceitas em público. Todos sabem. Todos fingem não saber.

O carro de Vedina, em cima da calçada, é multado. Ela não reclama. Retira o carro. Vai pagar a multa. Vai pagar pelos nervos descontrolados. Vai pagar pela guerra dentro de si. Por ter abandonado Augusto. Por ter ficado com Abel. Pagará caro, mas nunca, jamais se livrará do eco das vozes em coro trágico repetindo: como você foi capaz? Como somos capazes?

Há tanto tempo Vedina queria ter ido embora. Quem a impediu? Por que não foi? Por que se pôs assim na rota do imperdoável? Não dependia financeiramente de Abel, mas ficou. Ficou porque estava presa à inabalável convicção de poder penetrar na rocha! Talvez no miolo da rocha houvesse uma carne terna. E ela queria essa ternura mais do que tudo. Sabia Deus por que acreditava nisso.

Sabe Deus por que acreditamos no que inventamos. Vedina fantasiou que no miolo da rocha havia fragilidade o suficiente para que Abel se entregasse às mãos cuidadosas. Tinha mãos disponíveis quando se casou com ele. E queria usá-las. Como queria! Como teria sido insuperável ver a rocha dissolver-se em humanidades. Nada é mais comovente do que encontrar o coração macio de uma rocha.

Vedina ficou, mesmo tendo um casamento que a consumia como uma doença terminal. Não parece óbvio querer se livrar de uma doença terminal? Acaso não sofria? Sim, sofria, e engana-se quem pensa que tomamos decisões contra a nossa vontade. É nossa vontade que se impõe contra nós e age!

Vedina passou a depender dos movimentos de Abel. A casa em que viviam era dela, mesmo assim colocou-se nas mãos pouco cuidadosas dele ao esperar que fizesse as malas. Uma vez, ele fez as malas, mas ela as desfez. Pensou ter visto um desamparo tão grande que se comoveu. Mas o miolo da rocha é mais rocha. E uma mulher não deve se enganar quanto a isso: se é preciso força para tocar no amor de um homem, melhor deixá-lo.

Mil vezes: melhor deixá-lo.

13 *A queda nunca é livre.*

Naquele finalzinho de ano, Abel encontrara uma espécie de caixa de lápis de cor que gostaria que fosse só sua: Veneza. Ia para a aula animado, tendo em vista seus padrões entediados, provocando na família um pasmo completo. Que efeito estranho para uma bomba desencadear! Seus olhos agora procuravam, procuravam, procuravam. E quando, no meio da multidão, encontravam Veneza, paravam, e nele aterrissava um vento. Seu comportamento se tornava estranhíssimo. Deslocava-se pelo pátio preso ao ponto fixo daquela franja encantadoramente curta, procurando ângulos mais favoráveis para observá-la sem ser visto. Sentia-se seguro em sua invisibilidade, escaldado por incontáveis experiências de que timidez demais provoca desprezo. Só ele sabia, e saberia, da sua paixão.

Mas ganhar olhos perseguidores não foi a única consequência daquele dia memorável em que sua urina pingou corredor afora na mais indescritível humilhação. O que se passou em sala, depois que ele fugiu, abalou a ordem das coisas que pareciam inabaláveis dentro dele. Abel começou a ficar mais tempo na companhia de Caim e Parede, sem que isso lhe infringisse indizíveis martírios. Essa inesperada mudança, embora significativa, não se manifestava em gestos largos, mas em sorrisos contidos, tão raros no rosto de Abel que se faziam notáveis quando davam o ar sutil da graça. A avareza de não reconhecer o quanto Parede era divertido, para não conceder a Caim uma felicidade plena, arrefeceu-se quando soube que Parede o defendera com ousadia e coragem das agressões do Imensa. Foi como se finalmente lhe tivessem permitido, ou melhor, convidado a sentar na carteira junto com eles, longe daquela menina chata e bem-educada. Abel passara os últimos anos colocando a culpa em Paulo Parede pela imagem que fazia de si mesmo. A vitalidade do melhor amigo do irmão aumentava sua própria insipidez. Ele já não duvidava de que fosse um desajustado. Via sua esquisitice refletida nos olhos dos outros, aumentada pelo contraste de ter um corpo igual ao seu tão bem resolvido no irmão, tão capaz de ser amado. Caim vivia à vontade, Abel, nunca. Mas naqueles dias, inesperadamente, tudo pareceu ser menos grave. Talvez fosse Veneza.

Há muito, o furor para chegar à quadra correndo e se tornar o dono da bola tinha ficado para trás. Correr não era mais importante, caminhar de um jeito interessante, sim. As meninas passaram a ser a bola da vez. Era com elas que eles queriam jogar conversa fora. Quando o sinal do recreio tocava, a sedução se movimentava ruidosa, as rodas se faziam, as paixões se encaminhavam e a excitação adolescente atravessava tudo.

Como nas quadras, Parede continuava não tendo concentração para muitas partidas, em pouco tempo se dispersava, indo intrépido procurar um salto, um lugar onde se pendurar, um muro de equilíbrio ousado. Não se tratava de exibicionismo, até porque prescindia de testemunhas. As manobras no ar e o prazer radical no corpo eram o quanto bastava.

No penúltimo dia de aula, ao final do recreio, Caim e Abel voltavam para a sala quando encontraram Parede no corredor. Ele vinha na direção dos dois, completamente excitado. Alguma coisa arrebatadora acabara de acontecer. Estava esplendoroso, a pele afogueada, o sorriso incontido. Caim, conhecendo o amigo, foi logo dizendo:

— Alguma você aprontou!

— A mais radical de todas! — disse, eufórico.

— Conta longo, Parede.

— Só vendo com os próprios olhos.

— Agora?

— Nem pensar, tenho de ir para a aula, estou sob suspeita. Querem a minha cabeça com uma maçã na boca. Amanhã... no recreio, posso repetir para você minha mais arrojada manobra! Para você também, Abel. Sou capaz de entrar na luta armada por vocês dois — falou, brincando de dizer a verdade. Abel descontraiu os lábios em um esboço de sorriso, que Parede desfrutou como uma vitória espetacular. — Vou fazer o coração de vocês sair pelas respectivas e idênticas bocas! Não me esquecerão durante as férias!

Caim nem pensou mais no assunto, conhecia os exageros do amigo, embora não se lembrasse de tê-lo visto tão radiante. Mas Abel foi fisgado pela curiosidade. O que poderia provocar coisas assim, tão vibrantes? Tinha vontade de sentir o que viu transbordar de Parede: êxtase.

Na manhã seguinte, as aulas de geografia e depois de história foram uma visível embromação, só para cumprir a carga horária obrigatória. O ano tinha acabado. Para Abel, aquilo demorou como nunca. Ele estava irreconhecível na curiosidade de ver o que Paulo Parede aprontaria. Quando o sinal do recreio bateu, os três saíram juntos e foram direto para o terceiro andar. Parede parecia um viciado em crise de abstinência, louco por sua dose de veneno. Guiava os irmãos, indo na frente, subindo e descendo de cada elevação, ressoando a onomatopeia de seus movimentos, ricas percussões escapando pela boca agitada, já concentrado no que faria.

Caminharam em uma parte pouco visitada da escola, cujo peitoril dava para o pátio central, onde o corredor não tinha salas de aula, apenas uma área de almoxarifado e depósito de material. A algazarra do recreio subia até eles como um sinalizador de que podiam ir em frente, não dariam falta deles enquanto tantos estivessem no pátio central. Quando chegaram ao final do corredor, se virassem à direita, entrariam no prédio seguinte, mas pararam, exatamente no ângulo de noventa graus onde se dava o encontro das duas alas.

– Vou pular daqui para ali! – anunciou Parede, mostrando a trajetória de seu salto do peitoril de um prédio para outro.

– O quê? – disse Caim. – Tá louco?

– Fiz isso ontem, é fichinha. Tô acostumado a pular muito mais longe.

– Deixa de ser maluco, Parede. Sem essa! Aqui é alto demais, se você cair, já era.

– Eu não vou cair. A distância é pequena. É só dominar os nervos...

– Que mané dominar os nervos, porra nenhuma!

– Deixa de ser cagão, Caim.

– Deixa de ser estúpido. Você vai se quebrar todo – disse Caim completamente alterado. Seu desespero era por conhecer demais o amigo, sabia que não conseguiria demovê-lo. Quando Parede cismava com alguma loucura... – Vou descer! Problema seu se você se espatifar lá embaixo, não quero nem saber. Vamos embora, Abel! – Mas Abel não se mexeu. – Vamos, Abel! – insistiu Caim.

– Eu também quero pular – disse Abel, interrompendo o irmão.

– O quê? – reagiu Caim, dando uma gargalhada forçada.

– Eu vou pular – insistiu Abel

– Você não pula nem amarelinha, Abel – debochou Caim. Abel ignorou e começou a subir no peitoril. Caim esperou, apostando que era um blefe, mas ele foi se erguendo.

— Desce daí, Abel, deixa de ser idiota — disse Caim, puxando o irmão pela blusa e trazendo-o para o chão. Abel se levantou e, sem dizer nada, começou a subir de novo.

— Para com isso, Abel... Para de ser burro... Você é mesmo muito burro!

— Abel, desce daí, cara — interveio Parede —, desce daí, não dá pra você pular, né? Não é assim, não... — Caim puxou Abel de novo e o jogou no chão. Bateu na cara dele. Abel levantou-se vermelho, desvencilhou-se de Caim, que mais uma vez tentava segurá-lo, e foi de novo em direção ao peitoril. Caim virou as costas e saiu andando e gritando:

— Vocês dois vão tomar no cu! No meio do cu de vocês. — E desapareceu na primeira escada que encontrou. O coração pulando, uma vontade de chorar rasgada. Pensou em gritar, mas não era dedo-duro. Não tinha a porra de um dedo sequer duro. Mal entrou em sala transtornado, ouviu um som que jamais esqueceria e uma gritaria geral... Uma gritaria insana... Urros, miados, pânico. O pior tinha acontecido. Alguém acabara de cair do terceiro andar.

No exato momento em que Paulo Parede caía do terceiro andar do Colégio Santa Maria, sua mãe derramava sobre um bolo de cenoura uma calda quente de chocolate. Como pode um filho cair do terceiro andar enquanto sua mãe lhe prepara um bolo?

No exato momento em que Paulo Parede caía do terceiro andar do Colégio Santa Maria, Abel desceu as escadas com pernas que não eram suas, capazes de ignorar os degraus. Desembestado, um bicho mesmo, chegou ao primeiro andar, onde um grupo de pessoas aterrorizadas cercava o corpo no chão. Forçou sua passagem e entrou no meio da roda, ofegante, ali, bem perto, ao alcance de toda a dor.

Padre Tadeu chegou logo em seguida e, quando viu Parede no chão, gritou convulsivo:

– Não, meu filho, não! – Ajoelhando-se ao lado do corpo caído, viu que ele ainda estava vivo. Ordenou que chamassem socorro e segurou Parede nos braços como uma *pietà*. As lágrimas de padre Tadeu escorrendo volumosas, ungindo aquele menino que ele amava, lavando seu sangue. Vendo que ele lutava, preso a uma indescritível agonia, disse com doçura: – Não tenha medo, filho, salte! Salte. Não tenha medo, do outro lado está Deus. – Parede parece ter confiado, porque a linha dolorosa da boca, sem forças e sem cor, se descontraiu, como um sorriso manso. E ele saltou.

Abel, que assistia a tudo paralisado feito pedra, segurava por dentro ondas de mil metros tentando afogá-lo. As coisas todas na iminência de girar e arrancar seu chão. E, enquanto ele tentava escapar de um descontrole que parecia querer arrastá-lo, sentiu uma força descomunal se apossar do seu corpo, um vulcão que não podia ser contido. Perplexo, entendeu que estava tendo uma ereção.

Sentiu ódio de seu sangue fazer o que bem quisesse com ele. Não bastasse subir pelo seu rosto, agora se metia entre suas pernas, estufando o uniforme com um volume indecente. Deu-se conta, enojado, de que era um sujeito asqueroso. Uma aberração. Não era a primeira vez. Quando o pai bateu em Caim na sua frente, e ele não assumiu ser o autor da bagunça nas caixas da Pregos & Etecetera, deixando o irmão apanhar em seu lugar, tinha acontecido a mesma nojeira. Ali, diante de todos, sentia-se mais uma vez prestes a ser desmascarado. Viu Antero, que se tornara um rapaz alto e esguio, olhando para ele em meio a toda gente, tudo tão trágico e aqueles olhos capazes de penetrá-lo. Talvez vissem que o pior acontecia entre suas pernas, pior do que a morte. Mais grave do que a queda. Como podia ser tão bestial?

Ao se dar conta de que fora Parede quem caíra do terceiro andar, Caim sentiu alívio. Não fora o sangue de Abel derramado. E depois sentiu culpa porque sentiu alívio. E depois sentiu tanta dor que já não sabia mais se sentira alívio. Era com Parede que ele gostava de rir. E gostar de rir era o que mais gostava na vida.

7

Melhor deixá-lo!

Vedina sabia há muito tempo que precisava deixar Abel para ser capaz de amar Augusto. Mas foi Augusto quem ela deixou naquela manhã. Não suportaria dizer a verdade. Quanto mal a mais faria ao filho se confessasse que o abandonou?

Parei para buscar água porque Augusto engasgou com uma bala... Deixei meu filho no carro por um segundo e, quando voltei, ele não estava mais lá!

A polícia ouviria a versão de Vedina e perguntaria: Onde a senhora comprou água? Onde está o papel da bala que engasgou seu filho? Com poucos passos alcançariam as curtas pernas da mentira. E quem mente, com lágrimas escorrendo, sobre um filho perdido, levanta suspeitas até os últimos dias. Depois disso não há mais nada.

Três horas se passaram. "Augusto", gritou Vedina estalando os dedos, freando bruscamente no sinal vermelho. Meu filho, pelo amor *de Deus, chore alto para que alguém escute. Chame por mim. Você sabe meu nome, não sabe? Vedina. O nome de sua mãe é Vedina.*

Sim, Vedina... Mas um nome é só uma palavra e uma criança aprende quantos nomes lhe forem ensinados.

12

"Duas formas são a mesma se for possível transformar uma na outra sem quebrá-la."

Os planos de Custódia e Antunes de levar os filhos para a praia, para quem sabe descarregar no sal das águas os males que se abateram sobre eles, não surtiram resultados animadores. Não se sai de uma tragédia com os cabelos molhados ao vento como se sai de um banho nas férias de verão, quando, depois de lavar areia, óleos e suores pegajosos, veste-se uma roupa leve a tempo de voltar para a orla, sentir a brisa suave e ver a luz do dia cair na beirada dourada do mar. Um paraíso não é suficiente contra determinados infernos. É verdade que algum alívio os banhos demorados trazem, mas logo tudo se resseca, ressente, repuxa. Quando há uma ferida aberta, nem os dias ensolarados melhoram as coisas. Nem o mar. E até a brisa, musa da delicadeza, machuca.

Não batam portas, pois. Não encarem, falem baixo, evitem os solavancos. Sofrer em paz é o mínimo que se espera merecer. A morte de Parede, o desespero de seus pais, as conversas intermináveis e inquisidoras com Caim e Abel sobre o que havia acontecido não foram apenas exaustivas. Foram devastadoras. Alguma coisa se desfez. Talvez o nó que mantinha o bote preso ao navio.

Foram três longos meses de férias e quase nenhuma palavra entre os irmãos. Os dois se calaram enquanto Custódia abusava do esforço de tentar consertar as coisas. Pôs tanta intenção nos arranjos de aproximar os filhos, no ideal dos irmãos amigos, que acabou criando um mal-estar abundante. Não tinha vocação conciliadora, seu otimismo soava artificial. Patético. Caim se levantava e ia andar na praia sozinho. A mãe insistia para que Abel fosse com ele. Mas Caim não esperava por Abel e Abel tampouco se movia. Evitavam-se. Ficar sozinhos carregava o peso de um acerto de contas.

Caim caminhava uma longa distância, depois se deitava na beirada do mar e fechava os olhos, braços abertos largados na areia. Ouvia as ondas se quebrarem e aguardava para ver se a água teria forças para alcançá-lo. Por vezes, tinha. Gostava da incerteza e ocupava-se da contabilidade entre o som da onda quebrando e o tempo para conhecer seu alcance. A tensão de ser surpreendido pela espuma fria impedia qualquer outro pensamento.

Depois ele voltava para casa, esturricado, tomava um banho gelado para apaziguar a pele incendiada e se deitava na cama. Antes de pegar no sono, na fronteira da inconsciência, ouvia Parede dizer: "Tô acostumado a pular muito mais longe... Eu não vou cair...", e o nevoeiro descia sobre ele. Antes de adormecer, Caim desconfiava.

Abel ficava na sala vendo uma televisão mal sintonizada, ruídos e imagens tremidas, exatamente como o que se passava dentro dele. Às vezes fechava os olhos e via Veneza atravessar o pátio e sorrir para ele. Sem nitidez. Não sabia mais refazer os traços dela, não tinha os detalhes, só o impacto da lubricidade que ela ativava nele. Já naquela viagem, quando acordava excitado, apertava o membro ereto com as mãos e desaparecia Veneza adentro.

Depois veio a casa dos avós no interior. Casa abafada pela velhice, pelo passado que se descobre desnecessariamente ríspido. Tantas certezas à beira da morte. O corpo atrofiado pela rigidez moral. Todo o poder do avô humilhado pelas artroses. Os olhos vigilantes e cansados dos pais de Custódia alegravam-se ao ver os netos. E a avó se punha a querer alimentá-los. Lentamente um véu de tristeza envolvia o coração miúdo dela por tudo ter se passado tão distante, e agora aqueles meninos já eram rapazes. E Custódia já era mais mãe do que filha. Sua única filha. E nada se podia recuperar do que fora desperdiçado.

Entre Caim e Abel, a falta de jeito calcificava. Custódia sentia uma angústia volumosa no peito diante do visível afastamento dos filhos. Temia, difusa e impotente, a correnteza que via. Antunes mal se dava conta, tão ocupado em arranjar uma desculpa para sair. E depois voltar cambaleante, ocasião em que tudo lhe pareceria estar onde sempre esteve, exceto o degrau da entrada onde infalivelmente tropeçava.

Todos, sem exceção, queriam que as férias acabassem logo, queriam voltar para casa, ser engolidos pela rotina das aulas, devolvidos à normalidade dos dias, quando não se pensa muito, acorda-se. Não sabiam mais sentar à mesa juntos sem estarem com pressa.

Então o ano escolar finalmente recomeçou.

Professor Bruno Jardim era considerado um crânio. Reunia, em aparente estado crônico de distração, as qualidades de um gênio: curiosidade, inteligência e imaginação. Além de uma memória prodigiosa.

Andava pelos corredores do Colégio Santa Maria meio desleixado, a camisa com frequência abotoada errada, cabelo desgrenhado e profundo desapego pelas coisas materiais. O sapato era velho, a roupa amarrotada, os óculos do século passado um tanto arranhados e as meias, certamente, furadas. A pasta marrom puída, quase uma extensão do braço, parecia guardar um segredo tão valioso que não se permitia desgrudar dela. Não passavam de alguns gizes, apagador e um guarda-pó encardido, além de um livro de geometria à beira de se desintegrar. A expressão de ausência que acompanhava seu semblante gravitava entre o sorriso e o espanto. Às vezes parava, mão na cintura, o olhar atravessando as coisas e a mente em ebulição. Tomava-se por distração um excesso de concentração, fosse em uma equação de álgebra complexa, um desafio lógico, alguma dúvida gramatical, uma data histórica, a origem de uma expressão em latim ou a palavra cruzada de sete letras, categoria dificílima, que não conseguira decifrar no café da manhã.

Seu deslumbramento era puxar o fio que uma ideia sempre dá a outra. Aquilo era, sem dúvida, o infinito, de maneira que não ambicionava outra alegria que não fosse dar tratos à própria riqueza intelectual.

Era um homem simples, sem afetação, seguro mas nunca arrogante em seus conhecimentos universais. Merecia estar em qualquer instituição de nível superior do mundo, mas preferiu declinar de todos os convites. Considerava as pretensões acadêmicas trabalhosas, envolviam articulações, convívio social, bajulações em alguns casos, burocracias com certeza e outras perdas de tempo, que só fariam adiar seu encontro excitante com os próprios pensamentos. Seus olhos eram tão vivos que dava para ver as sinapses se alastrando em seu cérebro entusiasmado, como uma tempestade de relâmpagos.

A decisão de lecionar no Colégio Santa Maria, conciliando sua carga horária com a universidade, era sustentada pela paixão em testemunhar a descoberta da matemática, e sobretudo dos matemáticos, com a mais absoluta crença de que nesta disciplina é preciso começar cedo. Newton foi gênio aos 23 anos e Einstein, que o foi aos 26, dizia que quem não deu sua contribuição para a ciência antes dos trinta não a dará jamais. Movido por essa premissa, professor Bruno Jardim tinha carta branca para formar um grupo de estudos matemáticos com um seleto time de alunos, escolhidos a dedo nos primeiros meses do ano. Toda terça e quinta à tarde, eles se encontravam para uma bela jardinagem, como costumavam se referir a esses encontros. E, ao final do segundo semestre, viajavam para um encontro de jovens matemáticos que acontecia, a cada ano, em diferentes capitais do Brasil.

Sim, professor Bruno Jardim era sobretudo matemático. Uma bênção para os torturados pelas lâminas afiadas de professor Adilson, que entregava os meninos ao terceiro ano completamente destroçados. A riqueza bem-humorada das aulas de professor Bruno, cheias de curiosidades, a paciência de um relógio diante das dificuldades de cada aluno e a clareza de suas explicações eram um verdadeiro resgate dos que perdiam a fé e, inúmeras vezes, o entusiasmo por aprender. Aos mais bem-dotados de inteligência lógica, oferecia histórias fascinantes e problemas desafiadores. Aos que carregavam o pesado rótulo de limitados, "os burros", segundo o linguajar grosseiro do inábil Imensa, professor Bruno tratava com respeito. Apostava em outras competências, não menos necessárias ao mundo, e que, certamente, eles possuíam. Serenava-lhes o espírito e simplificava as equações. Muita gente desemburreceu em suas mãos.

No primeiro dia de aula, ao fazer a chamada, não a fez em ordem alfabética. Pulava de um nome para outro, aleatoriamente, pegando de surpresa os distraídos.

— "Henrique Malta!" — disse de cara, olhando a seguir para o menino franzino que levantou timidamente o braço. — Já ouviu falar no grande Henrique VIII?

— Não — disse o rapaz se encolhendo, querendo distância segura de qualquer coisa grande.

— Foi um dos monarcas mais célebres da Inglaterra. Casado com Catarina de Aragão, ou Catalina de Aragón em espanhol. Temos aqui alguma Catarina? – perguntou, verificando a lista. – Não, não temos. – O rapaz franzino sentiu alívio, antevia uma zoeira da turma caso tivesse. – Mas temos uma Ana. Barbaridade, temos quatro Anas! Ana Teixeira, Ana Maria Vale, Ana Luiza Queiroz, Ana Luisa Brandão de Almeida – chamou professor Bruno. Todas levantaram as mãos e ele olhou para cada uma delas com calma e atenção. – Ana é justamente o nome da segunda esposa de Henrique VIII! – prosseguiu o professor, voltando a se dirigir ao Henrique, o Malta, e ignorando o burburinho dos colegas, que não iam deixar por menos. – Ana Bolena, não sem controvérsia, era uma mulher com seus encantos e virou a cabeça do rei Henrique VIII. Com ela, o rei se casou na marra, depois de romper com a Igreja Católica, porque o papa não consentiu em anular seu primeiro casamento com Catarina. Não sei se os senhores sabem, mas o casamento dos católicos é para sempre, só a morte separa. Foi assim que começaram os cultos anglicanos na Inglaterra. Toda uma religião fundada por causa de uma Ana, que três anos depois, diante de um já desinteressado marido, acabou sendo decapitada. Como vocês podem notar, os reis passam por cima de Deus, sem cerimônia, para fazerem o diabo. Este nome Ana é um nome poderoso e, me arrisco a dizer, amado. Só aqui, temos quatro! Talvez por causa de Santa Ana, mãe de Maria, avó de Jesus. Também por causa de *Anna Kariênina*, do russo Liev Tolstói. – Nesse momento, professor Bruno foi até o quadro e escreveu: "Todas as famílias felizes são iguais. As infelizes o são cada uma à sua maneira." – É assim, com essa frase espetacular, que Tolstói começa seu grande romance *Anna Kariênina*. Quem aqui já leu esse livro? Ninguém leu! Pois muito bem, espero que o façam!

E assim, professor Bruno foi conhecendo cada aluno e a cada um deles entregou uma história. Para Inês, Inês de Castro, de *Os lusíadas*. Para Helena, Helena de Troia, da *Ilíada*. Para Gilda, Gilda, a filha amada de Rigoletto, da ópera do italiano Giuseppe Verdi, de final trágico e comovente.

— Temos aqui algum Giuseppe?

— Não! — reagiu um coro de gatos pingados.

— Claro que temos nosso Giuseppe! Giuseppe da Silva. De quem é este nome raríssimo: José da Silva? — A turma riu, empolgada. No fundo da sala, um rapaz de cabelos amassados, com cara de sono, levantou o braço. — José vem do hebraico e é a nossa versão do italiano Giuseppe, significa descobridor das coisas ocultas, aquele que acrescenta! Tenham carinho por esse rapaz, deixem que ele cochile em paz, ele pode saber o que ninguém mais aqui sabe! — O alvoroço tomou conta da turma e professor Bruno prosseguiu em seu improviso. O que dizer de Neide? Amilton? Renato? Diante de nomes menos renomados não se apertava, evocava uma tia distante, um amigo inesquecível, um jogador de futebol excepcional de quem descrevia com entusiasmo um drible. Chegou a contar a história de um louco de sua terra natal, por quem guardava grande afeto e que, a uma certa altura da vida, depois de perder a mulher amada, inconsolável, passou a caminhar de marcha à ré, no firme propósito de fazer o tempo voltar. Talvez não passasse de uma invenção de professor Bruno, apenas para acudi-lo no desafio do nome Valteni, mas isso pouco importava. O grande feito era o fato de que se tratava de uma aula de matemática e todos ali foram capazes de se esquecer disso! Um bom começo para perder o medo e passar a esperar por aquelas aulas, como quem espera pelas horas boas.

Quando professor Bruno chamou pelo nome de Caim, uma leve agitação atravessou a turma. Alguns se ajeitaram na cadeira. Que história o professor contaria sobre Caim, irmão de Abel? Como dar a volta naquele traçado trágico de um jeito bem-humorado? E o que todos ali presenciaram foram os olhos de Bruno Jardim faiscarem como em nenhum outro momento. Ele se aproximou de Caim e fez uma sincera reverência.

– Meu rapaz, vi com que clareza e elegância você resolveu o problema proposto pelo professor Adilson. Um feito e tanto para um rapaz da sua idade! Será uma honra passarmos este ano juntos.

Naquele mesmo dia, ao final da aula, Caim era oficialmente convidado a fazer parte do grupo de estudos matemáticos de professor Bruno Jardim. Em toda a história da jardinagem, era a primeira vez que um aluno conquistava esse lugar assim de cara, no primeiro dia de aula.

Horas antes, ao chegar no colégio, Caim sentira uma vontade incontrolável de virar as costas e não voltar mais. O imenso pátio cercado pelos edifícios de três andares, os corredores largos e suas inúmeras portas, as escadas movimentadas, a quadra de basquete, tudo que já fora uma excitação profunda tornara-se uma pesada ausência. Parede não estaria mais lá. E Caim ainda podia sentir, e sentia, insistentemente, seu corpo girando sobre os calcanhares em uma guinada irreversível, seguida de passos imprudentes, tomados pelo ardor da contrariedade, que o fez deixar Abel e Parede sozinhos. Maldito rodopio.

Talvez, naquele primeiro dia de aula, Caim tenha ficado por não suportar repetir o movimento de dar as costas e caminhar. A véspera da dor, da queda e do som seco cujo súbito não o largaria mais. Diante do que parecia insondável, a verdade dos minutos que se seguiram à sua retirada, ponto irremediavelmente cego em sua vida, as tardes de jardinagem se tornariam uma reparação. Nelas, Caim reencontraria o deslumbramento de sua caixa de lápis de cor, justamente na matemática, onde tudo é preto no branco. E encontraria também o amor.

No andar de baixo, Abel repetia o segundo ano. Um ano longo, dias intermináveis de impiedoso reencontro com o Imensa. O professor se empenhou em exagerar, ao máximo, o pasmo que as limitações matemáticas de Abel provocavam nele. Zombava grosseiramente, criando teorias demoradas sobre como um erro genético afeta matematicamente a divisão celular dos univitelinos, subtraindo a inteligência de um e multiplicando a de outro. Um caso raro que valia a pena observar de perto, pois não se repetiria pelos séculos, dizia rindo, como se pudesse extrair graça do que fere. Seu humor ultrajante só aumentava o alcance da brutalidade. Abel, nos primeiros meses do ano, suava a cada pergunta, e o rosto parecia escalpelado de tão vermelho. Mas com o tempo foi ganhando traquejo em não reagir. Começou a tolerar o escárnio, sem deixar transparecer seus impactos. Depois, não mais abaixou os olhos. Diante do olhar de seu agressor, encarava-o, sustentando uma falta de pressa desconcertante, que abalava a desenvoltura sarcástica do Imensa, lançando-o no vácuo rochoso do impenetrável. Nenhuma pergunta era respondida, toda provocação, desprezada. Ao final do ano, quando Imensa reprovou mais uma vez Abel, ele mesmo já não achava graça em torturá-lo.

Nos intervalos das aulas, Abel saía da sala, situada no segundo andar, e caminhava, não mais do que sete passos, até o parapeito em frente. Atravessar o corredor era o mais longe que seus interesses o autorizavam a ir. Depois da trágica morte de Paulo Parede, grades de segurança haviam sido instaladas sobre toda a extensão dos parapeitos, nos quatro edifícios. A prisão simbólica em que a tragédia os encarcerara se consubstanciava naquelas grades excessivamente reais. Presos à vida, presos à morte e presos a uma arquitetura arruinada.

Todos os dias, na hora do recreio, Abel se juntava àquela paisagem e encarnava pálido a imobilidade, postando-se impenetrável atrás das grades, a observar o que se passava lá embaixo, no pátio central. Uma estátua sombria não faria melhor.

A vida parecia continuar para todos. As meninas em duplas ou trios circulavam. Indo e vindo. Os corpos postos em contato uns com os outros, mãos dadas, braços enganchados, hálitos misturados em visível cumplicidade. Os meninos, mais buliçosos, sujeitos a inesperadas propulsões, não tinham sossego o suficiente para gestos miúdos, tudo era aos esbarrões. Competiam. E, quando davam de se misturar, meninos e meninas, cumplicidade e competição, via-se uma atrapalhada sedução, coisa de principiante, imatura e desajeitada. Sofrida, a bem da verdade. Nessa idade, desejar é uma antinomia: não se pode revelar, tampouco esconder, o interesse de uns pelos outros. Sente-se uma vergonha desmedida de gostar de alguém, especialmente quando esse alguém descobre o afeto que inspira. Aprende-se, e muitos o fazem de forma desastrosa, que gostar é tornar-se vulnerável.

Abel observava tudo aquilo absorto, procurava por Veneza sem cogitar evoluções. Não imaginava futuros. Procurava porque era incapaz de não procurar, desde que a viu pela primeira vez. E apenas ele, em todo o mundo, em todas as galáxias cientificamente comprovadas ou sequer imaginadas, apenas ele sabia e apenas ele saberia que procurava por ela. E quando a encontrava, ele atrás das grades do segundo andar, ela solta no pátio lá embaixo, em graciosa liberdade, tudo ao redor desaparecia, e Abel sentia seu corpo crescer e pulsar. Encarnava-se. Caía em si. E gostava.

Veneza andava com Vedina. Alta, magra, de cabelos extremamente lisos e orelhas extremamente de abano. Devia ter seus encantos, mas, ao lado de Veneza, e aos olhos de Abel, não se podia avistá-los. As duas, muito amigas, nem sempre davam as caras no pátio central, sumiam por longas temporadas. Abel se perguntava, com certa ansiedade: onde estariam? Mas nunca com ansiedade o suficiente para sair em busca delas. Maior do que toda a intensidade que Veneza provocava nele, estava o horror de ser desmascarado em sua fragilidade: gostar dela, involuntariamente, e muito.

Um dia, depois de passar as vistas por toda a extensão do pátio central, sem sucesso, e ainda sem desistir da ideia de vê-la, olhou para o lado, numa distensão necessária, como uma sentinela que abaixa a guarda para aliviar os ombros, acordar uma dormência, evitar uma câimbra, e eis que deu de cara com Veneza. Ela vinha pelo corredor do segundo andar. Caminhava com seu jeito inconfundível de quem nunca parou para pensar que há perigos no mundo. A franja parecia mais curta assim de perto e dava a ela uma mistura de ingenuidade e malícia. Um anjo indecifrável. Alívio imediato, desde que distante, não assim a poucos metros. A poucos metros era assustadora. Abel nunca a tinha visto tão de perto, e naturalmente nunca expusera tão de perto a própria esquisitice. Quis desaparecer como um gênio na fumaça repentina. Abel sentiu o sangue acelerar, Deus sabia do que aquele sangue desatinado era capaz. Temia seu sangue com todas as forças. A quantos constrangimentos ele o submetia com sua impulsividade! Respirou fundo e tentou ativar os mecanismos fisiológicos treinados em ignorar o Imensa. Se podia ignorar as estocadas de um estúpido, poderia enfrentar a aparição de um anjo. Veneza avançava. Parou diante da sala e conferiu se havia alguém dentro, recuou desapontada ao perceber que estava vazia. Ia seguir em frente, quando viu Abel.

— Ei, você é desta sala, não é? — perguntou se aproximando, o que desencadeou uma sequência de espasmos musculares nos braços de Abel, que se agitaram desengonçados. Era o maldito sangue desgovernado. Abel se limitou a balançar a cabeça, desejando que ela caísse do pescoço e rolasse corredor afora.

— Pode entregar esse livro pra Flávia Sampaio pra mim? — perguntou, já entregando o livro para Abel. — Fala com ela, por favor, que foi Veneza do terceiro C quem deixou aqui pra ela. — Como ele não dissesse nada, Veneza sentiu-se na obrigação de dar uma breve explicação. — Ela perdeu o livro de biologia e eu fiquei de emprestar o meu do ano passado.

Mais uma vez, Abel se limitou a balançar a cabeça. Segurava firme o livro nas mãos, o que já significava aceitar a missão que lhe fora confiada. Seus olhos, perto demais para serem vistos, escaparam. Veneza não resistiu, observou Abel com curiosidade e pensamentos secretos... Absorveu suas feições desamparadas e atribuiu toda aquela estúrdia a uma afamada timidez. Depois, como quem recupera a presença, disse graciosa:

— Obrigada, Abel.

Foi neste dia que Abel soube que ela se chamava Veneza. Que estava no terceiro C. E que sabia o nome dele. Sabia o nome dele e isso lhe pareceu significativo. Todos na escola, por motivos óbvios, sabiam dos irmãos Caim e Abel, teria concluído se tivesse pensado. Mas quando se quer um pouco de afeto, qualquer migalha é afeto. E pensar em razões mais razoáveis só atrapalha.

Durante aquele ano, Caim e Abel mal se viram na escola. Iam e voltavam juntos para casa, e aos poucos retomaram algumas conversas banais, mas não a intimidade. A falta de assunto entre os dois era proporcional à falta de interesses comuns, evidentes com o passar do tempo. A morte de Parede pairava sobre eles. Viviam em permanente melindre quanto ao destino que coubera a cada um. Impiedosa biografia de luz e sombra essa na vida de gêmeos idênticos, tão sem originalidade quanto sem saída. As diferenças sob observação afiada. Ninguém surpreenderia ninguém. Muito acontecia para Abel, muito acontecia para Caim, e eles passaram a viver, cada qual, com seu muito. Uma intransponível fronteira se alargando entre eles. O experimento de fazer dos dois, um, ao qual Custódia tanto se empenhara, resultou em fratura.

Mas é bom que se diga que há em nós algo que não aceita se conformar. E esperneia, desobedece, teima. Algo que não decanta nem evapora. Neles, em Caim e Abel, era a ausência de um no outro. O afeto espraiado, gotas borrifadas que parecem se desfazer no ar, mas que nas mais diferentes horas, ao comando sutil de um cheiro, um som, uma memória, dão as caras com intensidade. A saudade orbitava no peito dos dois, triste, no que a tristeza tem de ser escassez e incompletude. Mesmo em meio aos acontecimentos extraordinários, como o cálculo diferencial ou a primeira paixão, mesmo enredados por Imensa, Parede, Veneza e Jardim, restava a falta que um fazia ao outro. A memória de um paraíso que tinham desfrutado juntos. Longos meses abraçados no ventre de Custódia, sem lutar como fizeram Esaú e Jacó. Tinham, ao contrário, brincado muito quando meninos, época em que brincar e amar são a mesma coisa. Podiam se distanciar, mas nunca tirar deles o que foram. Não era apenas eles que sentiam saudade, era a saudade que os fazia sentir.

8

Sim, uma criança aprende quantos nomes lhe forem ensinados. Diga o nome da nossa rua. Diga o nome do seu pai. Se não souber meu nome, grite: mãe. Sou sua mãe, filho. E se alguém encontrou Augusto e o levou para casa? Ou para a escola? Vedina sente uma leve euforia se agitar dentro dela, talvez estejam tentando avisar que o encontraram.

Ela não tem certeza se Augusto sabe dar informações sobre si mesmo. Faz um esforço para se lembrar do que ele é capaz, e então se dá conta de que não sabe. Como não sabe? Meu Deus, como não sabe? Como ainda quer ser a mãe por quem ele chama? Essa constatação a deixa arrasada... Sempre o ouviu com o cérebro embrulhado em um plástico fosco, levemente irritada. Preferia as horas em que ele dormia e ela podia se entregar à luta barulhenta com Abel dentro de si. Passar e repassar o que queria dizer ao marido, a quem não suportava mais, sem as demandas de Augusto por biscoitos, por ter a bunda limpa, por atenção e limites. Lapidava roteiros inteiros de verdades e decorava a melhor maneira de debulhá-las. Não havia

silêncio o suficiente para ouvir o filho, tampouco luz para vê-lo. Não sabia muito sobre ele, não sabia sequer com que roupa ele estava aquela manhã.

Mas sabia que Abel nunca ria e, mesmo assim, ficou. Como alguém fica com uma pessoa que nunca ri? Uma vez, uma das poucas vezes em que viu um sorriso no rosto de Abel, Augusto estava ensaiando os primeiros passinhos e descobriu que podia se levantar sozinho e depois cair de propósito, de bunda no chão. A cada tombo, ele dava uma gargalhada sonora e olhava para o pai. Abel, num descuido, sorriu como se fosse capaz de ser feliz. Ficava bonito como Caim: não tinha ideia do que um sorriso fazia por ele. Seu rosto também se iluminava quando observava Augusto dormir, o que costumava fazer demoradamente. A respiração despreocupada do filho, o corpo relaxado e confiante o afetavam como um mistério e uma profunda saudade.

Quando chegava em casa, Abel procurava Augusto para beijá-lo. Era assim que seu pai fazia com ele. Augusto se empolgava com a presença de Abel, queria a todo custo lutar, jogar bola, exibir-se, mas Abel escapava. Aqueles eram movimentos indisponíveis para seu corpo. As interações de Abel com Augusto nunca eram festivas ou infantis, não desencadeavam modulações vocais ou exageros faciais caricatos, mas eram sensíveis, havia delicadeza nos gestos como em nenhum outro lugar na vida de Abel. Foi pelo encantamento com esses gestos que Vedina achou que ele, um dia, aprenderia a amá-la. Tornou-se obsessiva quanto à ternura dentro da rocha. Queria a todo custo ser alvo daquela doçura. Um sorriso daqueles, se dado a ela, faria com que não se arrependesse de nada. Por que estava pensando nisso quando deveria estar pensando em como encontrar Augusto?

Augusto deve estar com fome. Deve estar cansado dessa brincadeira de desaparecer, pensa Vedina, puxando o ar com força para soltá-lo numa explosão pela boca. Já são mais de três horas desaparecido e ela não consegue saber o que fazer. Lembra-se de que, quando Augusto se cansa, apaga como se as pálpebras caíssem por um súbito defeito mecânico. Muitas vezes viu o filho sair de um pulo diretamente para o sono profundo. Disso se lembrava bem, porque, dia após dia, esperava por esse momento e dependia dele para continuar viva. Mas nunca acontecia àquela hora da manhã. Costumava se dar por volta das dez horas da noite. Vedina se desespera ao imaginar a possibilidade de estar longe do filho quando a noite chegar. Meu Deus, me ajuda, implora.

Ela encosta o carro, pega o celular na bolsa e liga.

11 *O paradoxo dos gêmeos: ficar envelhece mais do que partir.*

Quem passasse na porta da casa de Custódia ouviria pela janela gradeada um barulho de metal no metal. Não era fricção de colher em panelas. Tampouco acontecia na cozinha. Era um som encorpado de atrito, áspero no áspero. Um reco-reco incansável que atravessava os dias e avançava madrugadas adentro. Tratava-se de uma máquina de tricô.

Uma vizinha de pouco convívio e muita insistência convidou Custódia para uma demonstração do produto. Com má vontade cerimoniosa, insuficiente para articular um não, Custódia foi. Ao final da apresentação, encantada pela beleza da malha que viu ser espichada diante de seus olhos, deixou-se embalar pelo discurso promocional e a possibilidade de ganhar seu próprio dinheiro. Deu-se o impulso. A máquina foi entregue na casa de Custódia e Antunes alguns dias depois.

O artefato, com poderes de distrair Custódia da obsessão de manter os filhos sob controle e o marido sob castigo, era formado por um pente de agulhas metálicas, com um pouco mais de um metro, sobre o qual deslizava para lá e para cá, movido pelas mãos de Custódia, que se revelaram habilidosas, um carrinho que levava e trazia linha. Via-se crescer no raspe-raspe barulhento uma malha de tricô rumo ao chão. De tempos em tempos, uma cor de linha era substituída por outra, e a criatividade de Custódia aflorava solta no comando da estamparia. Interrompia um verde para começar um rosa, respingava laranja no meio do roxo, combinava azuis. Demorava-se em uma cor compondo listras largas para depois alterá-las com listras rápidas. Contava os pontos dos quadrados, das ondas, das bolas malformadas feito luas quase cheias, experimentando uma liberdade que, até então, desconhecia. Aquele traçado pertencia a ela. Não era preciso rezar, apenas decidir, cortar e emendar linhas. O artesanato é arte sem tormento. Requer habilidade, bom gosto, por vezes virtuosismo, mas não se mete a problematizar o mundo. Não havia tempo nem sofrimento para outra coisa que não fosse imaginar a malha que se queria ver na blusa, no cachecol, na meia, e empurrar para lá e para cá o carrinho.

Tricotar à máquina era uma tarefa de muita concentração. Por vezes, acontecia de a malha soltar-se do pente, sendo preciso resgatar todo o trabalho ponto por ponto, agulha por agulha, sob o risco do desastre completo: perdê-lo. Uma contrariedade danada, contornada a custo de muita paciência para devolver a cada ponto sua agulha. Interrupções eram odiadas. Dessem a Custódia sossego. Tudo podia esperar, menos um ponto perdido. Uma cor vislumbrada. Uma forma intuída. A peça pronta.

Nessa batida, a mesa do café da manhã não era mais religiosamente posta. O almoço saía na hora que saísse. A pia aceitava por horas a louça sem lavar e a poeira decantada dormia um sono profundo sobre os móveis. Mas em compensação, a produção das peças de tricô prosperava. Ninguém reclamava. Todos sentiam uma espécie de alívio em serem abandonados.

Custódia, que não levava jeito para vendas, punha nas mãos de Cira, outra vizinha, boa de bater perna e carregar sacola, a missão de escoar a produção. Na igreja do bairro, na fila da comunhão durante o inverno só dava hóstias no céu da boca e Custódia nos agasalhos. Gastos os dias e os sapatos, fez-se um pé de meia bem tricotado e providencial para o que se deu a seguir.

Caim chegou em casa trazendo uma despesa extra, justiça seja feita, sem improviso. Estava combinado, desde o início do ano, que em meados do segundo semestre o dispêndio se daria. Ainda assim, Antunes, traído pela memória, foi pego de surpresa. Reagiu como que atropelado por um desaforo.

Eles sempre tinham levado uma vida sem extravagâncias e também sem carências. Os meninos estudavam em escola particular, e esse era um investimento que Antunes fazia sem regatear. Sempre tiveram o que precisavam, e Caim e Abel não pediam mais do que podiam ter. A Pregos & Etecetera cobria com modéstia as despesas da família. Mas com o tempo, o crescimento da concorrência e a abertura das grandes lojas, o dinheiro foi ficando mais contado. Antunes sofria com aquele declínio sem descobrir meios de detê-lo.

— Não podemos com isso, Caim. Você não vai! — disse, quando abriu as contas que o filho entregou a ele.

Se a notícia fosse dada de manhã, a reação do pai poderia ter sido outra. As manhãs têm pela frente o dia e com ele a ilusão de se poder resolver tudo. Mas, naquele princípio de noite, o escurecer não ajudava. Com o agravante de que talvez Antunes não estivesse totalmente sóbrio, embora seja leviano colocar a culpa no álcool, tendo-se conhecimento da situação preocupante dos negócios. Para piorar o já agravado, Antunes se esquecera de que no início daquele ano tinha autorizado pessoalmente, e com orgulho, que Caim fizesse parte da turma da jardinagem. Na época, a escola não podia antecipar qual seria o montante exato para os gastos da viagem, uma vez que o encontro anual dos jovens matemáticos se daria só no segundo semestre e a inflação no Brasil galopava destemida. Mas o acordo foi firmado. Os pais arcariam com as despesas de transporte e hospedagem, ficando a escola responsável pela alimentação dos alunos. Um compromisso assumido como condição, inclusive, para a participação do aluno no grupo do professor Bruno Jardim. Mas quando a conta chegou pra valer, escrita preto no branco, Antunes bateu o pé que o que fora combinado era um "vamos ver".

– Como assim, pai? Eu não vou? O professor Bruno está contando comigo na equipe. Você tinha deixado!

– Eu disse que ia ver. E vi: não tem jeito!

– Mas pai...

– Não vai. Se não tem jeito, não tem jeito, meu filho.

– Pai!

– Não insiste, Caim.

– Você deu sua palavra, pai.

– Não vai e acabou! – gritou Antunes, para desespero do filho.

– Palavra de merda a sua! – reagiu Caim, fora de si. Pela primeira vez enfrentou o pai com voz de homem. Antunes não fez por menos, reagiu com brutalidade, não apenas pelo desaforo do filho, mas por todos os insultos da vida. A ignorância foi ruidosa a ponto de interromper o reco-reco de Custódia. Ela correu, contrariada, para a sala e chegou a tempo de ver Antunes partir para cima de Caim com uma cadeira na mão.

– O que é isso, Antunes de Deus?! Larga isso!

– Esse moleque desaforado tá me desrespeitando.

– Você que está me desrespeitando, pai. Eu passei o ano estudando...

– Caim, cala a boca! – gritou Custódia, empurrando o filho para longe do pai e se metendo no meio dos dois.

— Vocês me deixaram participar do grupo de matemática da escola. Foi tudo combinado com vocês. Agora chegou a hora da viagem e meu pai fala que não vai pagar pra mim, mãe.

— Você não vai e acabou! — gritou Antunes.

— Antunes, a gente deixou Caim participar e a escola avisou que ia ter uma despesa extra. Você esqueceu? Quanto é isso, gente? Hein, Caim? Quanto vai ficar a viagem? — Caim pegou no chão a circular que o pai amassara.

— Não interessa mais quanto vai ficar a viagem. Por desaforo, ele não vai.

— Calma, Antunes... — disse Custódia, tirando a circular das mãos de Caim e avaliando a cifra.

— Com meu dinheiro ele não vai. Já estou avisando — ameaçou truculento, o que bastou para dar em Custódia uma imediata antipatia e uma boa oportunidade de espezinhar o marido. Renascia nessas pequenas vinganças.

— Pois vai com o meu dinheiro! — Aquilo saiu de uma boca entornando satisfação. Quem era aquele bêbado insuportável para falar como o homem da casa? Que agisse como um homem e não como um moleque. Já tinha prejudicado demais o filho com o nome que deu a ele! E isso Custódia nem precisou pôr em palavras, estava perpetuamente dito. — Vai com meu dinheiro!

— Só quero ver! — provocou Antunes. — Quero muito ver você ser o homem da casa.

— Pois você vai ver. Não vou fazer esse papelão nem com Caim nem com a escola. Vou pagar para Caim e vou pagar para Abel ir junto também!

— Mãe, pelo amor de Deus: não começa! Não tem jeito do Abel ir junto!

— Mas eu vou na escola conversar, sim senhor, quero ver se não tem jeito. Agora que padre Tadeu não anda mais por lá, eu dou meu jeito. Ele é que sempre me confundia.

— Não tem jeito do Abel ir, mãe. É uma viagem de estudo, só vai quem faz parte do grupo — argumentou Caim.

Custódia encerrou a conversa ali mesmo com o firme propósito de incluir Abel na viagem. Depois, foi lá para dentro e uma linha atrás da outra extraviou seus propósitos. As encomendas mirando o Natal se avolumaram e acabaram de mãos dadas com os argumentos de Caim. Ao som do reco-reco: Custódia pagou, Caim foi e Abel ficou.

Até o dia da viagem, Antunes e Caim não se falaram mais. Desprezaram-se em todos os cômodos da casa. Mas, na hora do embarque, o pai sentiu um orgulho sincero do filho. Agradeceu, com a pequena fé que tinha, a possibilidade de Caim ser um vencedor... Temia o nome que pusera nele. Pôs no bolso de Caim um pouco de dinheiro, sem ceder ao sentimentalismo. O que não teve jeito de consertar foi ver a mulher bancar aquela viagem num ônibus leito. Agora sim que ele, Antunes, não prestava para mais nada.

Se o destino de Caim era o Rio de Janeiro em um ônibus leito, o de Abel era mais um ano perdido. A bomba veio pelas mãos do Imensa. Os pais foram chamados na escola para ouvirem que o filho não poderia continuar seus estudos no Colégio Santa Maria no ano seguinte. Não eram permitidas duas bombas consecutivas. Isso se deu exatamente nos dias em que o irmão viajava para o Rio, por conta e mérito de seu desempenho. Uma coincidência cruel que a luz de um tenha brilhado junto com a sombra do outro. O que tornava a luz mais luz e a sombra mais sombra.

Professor Adilson se dirigiu à sala de padre Alberto do outro lado do edifício do Colégio Santa Maria. Até a metade do caminho foi como quem repete um velho e conhecido ritual, ter uma conversa com os pais de um aluno reprovado. Nada de mais, tudo enfadonha rotina. Mas sabe-se lá por qual mecanismo aleatório viu-se perturbado por uma súbita consciência. A consciência definitivamente não é um amanhecer. É luz elétrica encanada até um interruptor. Passa-se do escuro ao claro, sem nuances É como olhar, distraído, para a parede de um cômodo que se visita diariamente e ver, com assombro, em estado adiantado, uma infiltração que não se viu começar, nem crescer. Mas que está lá num tamanho considerável. Ontem não estava, hoje está. A consciência é a posse das evidências num gole. Tal qual a cara toma posse do soco. A lembrança da voz de padre Tadeu veio, sem amortecedores, aprofundar no Imensa a visão da cegueira em que esteve metido: "Somos educadores, deveríamos encaminhar e não julgar esse rapaz." "Um professor, de quem pressupomos maturidade e sabedoria, não pode chamar um aluno de burro." Mas, de imediato, outras vozes se juntaram a ela, na defensiva. De maneira que ataque e defesa foram dar nos nervos do professor, que diminuiu o passo e considerou seriamente não comparecer à reunião a que fora convocado.

Na sala da diretoria, a notícia já havia sido dada. Custódia, tendo ouvido o que não queria ouvir e manifestado em tom elevadíssimo tudo que bem quis, encontrava-se exaurida. Prostrara-se. Fosse por ela, eles já teriam ido embora, mas Antunes pegou firme na mão da mulher e, com autoridade, exigiu a presença do professor.

Professor Adilson, depois da demora, entrou constrangido na sala. Sua empáfia, abalada pela luta que travara no caminho, se entrou com ele, soube se esconder. Havia cautela em seu jeito de olhar e uma camada de vergonha. Viu Antunes e Custódia, um ao lado do outro, e se deu conta de que aquele menino tinha pai e mãe. Ela, com os olhos chorados. Ele, com a dignidade de um homem que acordou cedo, tomou banho e se arrumou para estar ali.

Padre Alberto situou o professor sobre o que se passara antes de sua chegada.

— Já expliquei ao sr. Antunes e a dona Custódia que Abel não poderá continuar na escola, infelizmente.

— Infelizmente — concordou o professor.

— E estou explicando a eles que não é um professor que dá bomba ao aluno, é o aluno quem toma bomba.

— Nós já entendemos isso, padre Alberto, antes mesmo de chegar aqui. Pode estar certo. Entendemos perfeitamente. Mas estranhamos que, pela segunda vez, Abel passe em todas as matérias, menos na de professor Adilson. Então eu queria perguntar ao senhor, professor, com todo o respeito, o que o senhor fez pelo meu filho?

— Ensinei. Penso que foi isso que fiz pelo seu filho, sr. Antunes, o que faço por todos os alunos: ensino. Preparo minhas aulas com dedicação, nunca falto, sou sempre pontual...

— O que o senhor fez por ele, professor?

— Não sei exatamente o que o senhor está me perguntando, mas dei a seu filho as notas que ele tirou, nem mais nem menos.

— Ah... As notas, tem razão. As notas são exatas. Os números não se enganam. Só as pessoas se enganam, professor. Só as pessoas fazem burradas. Não é, professor? Soube que era assim que o senhor chamava meu filho: de burro — disse Antunes filho, comovido. A voz mal dominada provocou no professor um visível constrangimento. — Eu também sou burro, professor. Como sou! Mas o senhor não imagina como sou bom em fazer contas, tudo de cabeça e rápido. Mesmo assim, sou burro. A burrice não tem nada a ver com fazer conta. A burrice é... sei lá, um jeito de empacar, como os burros! Eu dei a meu filho o nome de Abel tendo dado ao irmão dele o nome de Caim, o senhor sabe. Fiz isso ofendido, empacado na ofensa. Os burros empacam assim, professor, depois abaixam a cabeça e aceitam ser maltratados. Talvez Abel sofra esse tipo de burrice — disse Antunes, sem segurar as lágrimas que escorreram pelo seu rosto. – Talvez Abel ache, por culpa minha, que é destino dele ser maltratado, ser morto. Eu fiz isso com ele. Eu... eu mesmo não acredito nisso, mas, por causa da minha burrice, tenho que aceitar a burrice dele. Tem lá sua lógica. Então, professor, me diga, o que foi que o senhor fez pelo meu filho? O que foi que o senhor fez por esse menino? – perguntou Antunes, se levantando. E, sem esperar qualquer resposta, levou Custódia com ele de mãos dadas. Se ele fosse sempre assim, Custódia o teria amado. Antes de sair, ele parou na porta e de lá mesmo concluiu: – O que o senhor fez por meu filho, professor? – repetiu com a voz limpa e cortante, enquanto as mãos, soltas no ar, desenharam a mímica do nada. – Quero que o senhor empaque nessa pergunta pelo resto de sua vida, e o senhor vai ver que a burrice dói.

Ao ficarem sozinhos, professor Adilson, com um gesto, não permitiu que padre Alberto dissesse nada. Aquela vergonha era dele e não havia nada que pudesse piorar ou melhorar o que sentia. Estava atravessado pelas palavras de um pai. Antunes tinha razão, mas não em tudo, defendeu-se. O Imensa viu tomar conta de sua memória a imagem de Abel, de como ele aprendera a sustentar a cabeça erguida e o olhar impenetrável diante de suas agressões mal disfarçadas de piadas. Se é verdade que os burros abaixam a cabeça e aceitam ser maltratados, definitivamente, Abel não era burro.

pelo seu rosto. — Talvez Abel ache, porém, que é destino dele ser maltratado, ser morto. Eu fiz isso com ele. Eu, eu mesmo não acredito nisso, mas, por causa da minha burrice, tenho que aceitar a burrice dele. Bem, é a sua lógica bíblica, professor, me diga, o que foi que o senhor fez pelo meu filho? O que foi que o senhor fez por esse menino? — perguntou Antunes, se levantando. E, sem esperar qualquer resposta, levou Custódio com ele de mãos dadas. Se ele fosse sempre assim, Custódio [illegible]. Antes de sair, ele parou na porta e disse mesmo assim: — O que o senhor fez por meu filho, professor? — repetiu com a voz firme e cortante, enquanto as mãos, [illegible] a minha [illegible]. — Quero que o senhor carregue essa pergunta pelo resto de sua vida, e o senhor vai ver que é [illegible].

Ao ficarem sozinhos, professor Addison, com um gesto, não permitiu que padre Alberto dissesse nada. A pior vergonha era a de não ter nada que pudesse [illegible] melhorar o que sentia. Estava atravessado pelas palavras de um pai. Antunes tinha razão, mas não era toda a razão. [illegible] vir tomar conta de sua memória a imagem do Abel de [illegible] a sua [illegible] cabeça erguida, [illegible] diante de suas agressões mal disfarçadas de piadas. Se é verdade que os burros abaixam a cabeça e os olhos ao serem maltratados, definitivamente Abel não era burro.

9

Ela encosta o carro, pega o celular na bolsa e liga. Liga, mas cai na caixa postal.

Vedina fecha os olhos sem acreditar que do outro lado da linha não há ninguém e se lembra de Veneza, o rosto esplêndido, bem perto do dela, dizendo: sua calça está rasgada. Veneza dizia as piores coisas de um jeito simples. Apenas uma palavra atrás da outra, como se os sentidos que elas produzissem fossem outros quinhentos. E pronto, estava dito. Doía, mas logo depois ela vinha com o próximo passo, sem deixar que nada se afogasse num grande drama. Neste ponto eram parecidas. Foi assim que ficaram amigas no primeiro ano científico.

Vedina era alta demais, e sua presença causava um desequilíbrio estético em qualquer roda de amigas. As outras meninas não toleravam nada parecido com um desequilíbrio estético. Quando ela se aproximava, davam um jeito de desmanchar a roda para formá-la mais adiante sem aquela presença pontiaguda. Não há uma gota de misericórdia em certas fases da vida. Vedina não demorou a perce-

ber. Sentiu aquilo silenciosamente, sem nunca reclamar a amizade de nenhuma delas. Passou a se movimentar sozinha de cabeça, aparentemente, erguida. Não se oferecia à rejeição. Passava reto pelas meninas, como se não as tivesse visto. Ignorá-las era sua trincheira. Como era bem-vinda nos times de vôlei, por ter uma cortada decisiva, contentava-se com ser desejada em quadra.

Foi Veneza quem se aproximou dela. Um dia puxou Vedina para o banheiro pelo braço e entregou a ela um agasalho: "Sua calça está rasgada, amarre isso na cintura." Desde esse dia, começaram a conversar e depois a estudar juntas, e depois a dormir uma na casa da outra. A avó Zilá se encantou com a amiga da neta, o que sempre acontecia com Veneza, mas principalmente se encantou com a neta ter uma amiga.

Vedina ficava mais bonita com a convivência. Aos poucos, vinha à tona. Quando se sentia à vontade, tinha um senso de humor afiado e um ódio sem precedentes por suas orelhas de abano. Parte dele, transformava em indefensáveis cortadas nos jogos de vôlei. A outra parte, destinava ao corte seco das conversas cheias de curvas que demoravam a chegar a algum lugar. Veneza apreciava a praticidade da amiga e a falta de jeito dela, muito ereta, o que acabava sendo uma certa elegância.

Vedina nunca perguntou, por exemplo, sobre a mãe de Veneza. Dormia na casa dela, conhecia o pai, Miguel, mas não perguntava da mãe. Foi Veneza quem tomou a iniciativa de dizer a ela: "Sabia que eu tenho mãe?!" Os olhos de Vedina se encheram de lágrimas, mas ela logo reagiu: "Eu também não sou filha de minha avó, sabia?" Essa conversa aproximou as duas mais de mil anos. Depois veio Abel e tudo o que não puderam dizer uma à outra.

E agora? O que poderiam dizer? O que seriam capazes de ouvir? Como as palavras indefensáveis rasgariam Veneza? Vedina sussurra num treino desesperado: Abandonei Augusto na calçada de uma avenida de mão única. Abandonou Augusto na calçada de uma avenida de mão única?, repetirá Veneza. Repetirá incrédula e lentamente, tentando ganhar algum tempo, com todas as suas forças, para salvar a amiga dentro de si.

Cinco anos e sete meses antes, Veneza dissera a Vedina, com mãos cheias de gestos e olhos dardejantes: "Você não pode aceitar que Abel faça isso. Venha comigo, a gente enfrenta essa merda juntas." Mas Vedina desqualificou toda a cumplicidade que lhe foi oferecida: "Você não entende", foi o que disse antes de mandar Veneza embora. "Uma mulher como você não tem como entender, pode até se esforçar, mas não entende."

Vedina liga novamente e, mais uma vez, cai na caixa postal.

10

Lento e breve.
Posto que é nítido e fugidio.
Dissolve-se ao toque da palavra
só dentro de mim é desmesura.

— Um homem de fé não deve se fragilizar tanto diante da morte — disse padre Alberto, irritado ao encontrar padre Tadeu chorando, inconsolável, no refeitório, logo após a morte de Paulo Parede.

— Ao contrário — argumentou padre Tadeu, reprimindo os soluços, surpreso com a intromissão. — Um homem de fé não deve se fragilizar é diante da vida. Diante da morte, padre Alberto, nenhuma promessa pode ser feita, nenhum comportamento pode ser reclamado. Só a compaixão deveria se manter firme nessas horas, padre.

Como entre os dois a tolerância andasse deteriorada e qualquer palavra soasse como provocação, a tréplica de padre Alberto surdiu impiedosa:

— Não foi por falta de aviso, padre Tadeu. Aí está o preço de sua teimosia. Se o senhor tivesse sido mais rigoroso com esse menino, se o tivesse expulsado da escola, por justíssima causa, talvez ele estivesse vivo. Quantas vezes eu disse ao senhor? Quantas?

O golpe foi sentido. Padre Tadeu, atingido em um lugar que suspeitava merecer, calou-se. Decidiu naquele momento se afastar do colégio, fazer as malas e ir para o Espírito Santo, terra de sua família e de padres amigos. Faria isso logo ao amanhecer. Mas, antes de deixar o refeitório, dirigiu-se à mesa em que padre Alberto jantava sozinho. Não sendo ele um homem de se esconder nem no silêncio, nem na sensatez, destilou sua perplexidade:

— Um homem, padre Alberto, mesmo tendo fé, ainda é um homem. Erramos a perder de vista. Mas quem tem fé acredita que nada acontece sem que a vontade de Deus esteja envolvida. Não é? Vou me agarrar a esse aspecto de minha fé, porque sinto tanto a morte desse menino... — disse, engasgando. — Sinto tanto que tenho vontade de ir com ele. Tanta vontade de ir com ele que ai de mim se não me agarro a alguma coisa. Deus certamente deve saber do que eu nem suspeito, vou me agarrar a essa ideia em vez de imaginar que fiz mau uso de meu arbítrio. Não é disso que o senhor me acusa? De ter escolhido errar ao invés de acertar? É assim que eu o escuto. Talvez o senhor tenha razão, eu errei certamente... mas esse "bem feito" disfarçado de "eu avisei"... Ah, como isso é cruel, padre Alberto. Esse gosto por ter razão acima de tudo é cruel. Com o senhor por perto... nem homem nem fé no meu coração parecem se entender. Nem homem, nem fé.

E as malas foram feitas.

Quase um ano depois, superada uma terrível depressão, a convite de professores e alunos, padre Tadeu retornou ao Colégio Santa Maria para a cerimônia de formatura dos alunos do terceiro ano, ocasião em que Parede, se estivesse vivo, também estaria se formando. Vinha, como sempre, rodeado de muita bondade e poucas papas na língua. Estava, lentamente, voltando à velha forma. Fora escolhido, por unanimidade, para ser homenageado por todas as turmas. Seu reencontro com padre Alberto aconteceu de maneira civilizada. Um aperto de mãos e, graças a Deus, muitos afazeres providenciando uma boa desculpa para o pouco convívio.

A notícia de que padre Tadeu estava de volta chegou à casa de Custódia através de Caim. Ela, repentinamente, se viu fazendo um cachecol para ele. Listrado de cinza e preto. Ao final de uma das pontas, quase no arremate, foi tomada por uma irresistível vontade de uma listra larga, azul-turquesa. Não se conteve. Padre Tadeu era assim tão sem lógica quanto o cachecol que ganharia. Se durante anos Custódia travara com ele irritantes embates, se ao deixar sua sala se benzera efusivas vezes, agora sentia uma inesperada vontade de revê-lo. Sabia que seu afastamento era por causa de um esgotamento nervoso. A tragédia de Parede, envolvendo Caim, e sobretudo Abel, o mortificara. Por que não ir vê-lo em solidariedade? Afinal, ela também sofrera com tudo aquilo. Dos três envolvidos na desgraceira toda, dois eram seus filhos!

Mas a bem da verdade, não só o espírito solidário movia Custódia, o espírito prático também mobilizou suas forças. Tinha dúvidas! Talvez padre Tadeu fosse o único padre capaz de compreender o que estava acontecendo com ela. Misturar cores se tornou melhor do que remoer mágoas. Ainda era uma mulher religiosa. Rezava. Queria que Deus olhasse por ela e por seus filhos, mas agora se sentia capaz de dar alguns passos sozinha. Seria aquilo uma blasfêmia? Querer ter pernas? No ir e vir do carrinho de linha, ao som do reco-reco, foi se espichando em Custódia a placidez de um pulôver: seria pecado se distrair tanto a ponto de não sofrer mais? E Caim e Abel? Tinha abandonado os filhos à própria sorte, uma vez que as encomendas impunham prazos apertados, enquanto as incertezas da vida se faziam a longo prazo. E o inferno de que nem se lembrava mais? O que estaria o inferno preparando para ela? Seria justo estar feliz por Caim e desanimada com Abel? Padre Tadeu chegava em boa hora, quem sabe se de sua boca frouxa, entre um absurdo e outro, não vinha uma palavra iluminada. O cachecol ficou pronto e a visita foi marcada.

— Dona Custódia, que bom revê-la!

— Padre Tadeu, há quanto tempo. Como o senhor está?

— Velho, dona Custódia. Muito velho.

— E o senhor está achando isso ruim?

— Estou achando demorado. Tenho pedido a Deus um pouco mais de celeridade.

— O senhor não tem jeito mesmo... Um padre não deve falar uma coisa dessas!

— O que um padre deve é impagável, dona Custódia. Haja vida eterna para tantas dívidas.

— E não é pra isso que serve a vida eterna, padre? O senhor terá tempo para pagar tudo o que deve. Trouxe um presente para o senhor.

— Deixe-me ver isso. Que beleza!

— É um cachecol. Fui eu mesma que fiz.

— Quanta gentileza, dona Custódia, e quanta habilidade! Agora é que eu me demoro mais por aqui.

— Enquanto Deus não se apressar, o senhor, pelo menos, não vai sentir frio.

— Muito obrigado, minha filha... Acho que isso quer dizer que a senhora me perdoou.

— Há muito tempo, padre.

— E os meninos, como estão?

— Ah, sei lá... Desgovernados! Cada um pro seu lado, distantes. Sendo sincera, eu ando muito aflita com isso. Estou tão desleixada com esses meninos...

— Deus seja louvado!

— Nem brinque com isso, padre. O senhor já pensou que é o último ano dos dois aqui, no colégio?

— Tive notícias de que Caim brilhou no encontro de matemática do professor Bruno e certamente vai conseguir sua vaga na universidade...

— E Abel... O senhor sabe...

— Caim é excepcional, dona Custódia, e surpreende a todos porque é estudioso, inteligente e ao mesmo tempo alegre. Não se isola na arrogância. Conquista todo mundo.

— Abel vai começar a trabalhar com o pai... Não leva jeito para o estudo...

— Dona Custódia, a senhora pode sentir um pouco de alegria por Caim? Não há mal nisso.

— E o senhor pode se importar um pouco mais com Abel? É ele quem está precisando.

— Eu me importo com Abel. Mas podemos falar de um e depois do outro?

— É justamente isso que não estou conseguindo, padre. Separar os dois.

— Essa dificuldade da senhora é mais velha do que eu, dona Custódia!

— O senhor sabe, agora tem a formatura de Caim. E a bomba de Abel. Quem dera eu pudesse com uma coisa de cada vez. Não sei o que fazer com isso. Dou uma festa ou decreto luto?

— É... É mesmo uma situação de lascar...

— Acho muito egoísmo dar uma festa para Caim. Vai humilhar Abel.

— Então, faça alguma coisa menor. Só para os amigos mais próximos. Mas não deixe de celebrar. O menino merece, se dedicou demais.

— E Abel? O que eu faço com Abel?

— Faça com que ele estude. É o que precisa ser feito. Trabalhar com o pai é... Bom, vá lá. Mas deixar de estudar será terrível para ele.

— Ele está muito resistente a continuar... E no meio de tudo isso, pra piorar as coisas, só tenho vontade de fazer tricô. Comprei uma máquina, padre. Eu me distraio tanto! E estou gostando de ganhar o meu dinheiro, sabe? Pude até pagar a viagem de Caim para o encontro de matemática. Se dependesse do pai, ele não teria ido. O senhor não imagina a quantidade de encomendas que tenho! – disse, entusiasmada. – Mas com isso já não rezo tanto quanto antes, nem cuido direito dos meninos... Não estou achando isso certo, padre.

– Deus e os meninos devem estar muito aliviados, dona Custódia. Finalmente a senhora deu sossego!

– O senhor não me leva a sério, padre Tadeu.

– Não se leve também, dona Custódia. A senhora não pode controlar tudo! Aceite.

– É fácil falar!

– A senhora precisava ver o seu rosto quando falou do seu tricô! Essa alegria é um jeito de rezar, eu lhe garanto. E depois, nem tudo é impotência, dona Custódia, agora a senhora pode mandar à vontade na sua máquina, sem dó nem piedade!

– Ah, padre!

– Não é pecado tomar gosto pela vida, minha filha. As coisas vão se ajeitar, confie um pouco. Olhe para mim e seja sincera: fiquei bem com seu cachecol?

Até que tinha ficado bem, pensou Custódia. A ideia de uma listra colorida em uma das pontas do cachecol era bastante original, reconheceu orgulhosa. Repetiria a assimetria em outras encomendas. Se tinha funcionado no pescoço atarracado de padre Tadeu, funcionaria no pescoço de qualquer um. Padre Tadeu era muito... Sei lá, sinceramente... Mas até que tinha sido uma boa sugestão uma reunião pequena, só para os amigos de Caim. Faria um almoço, em casa mesmo, sem parentes, só para a turma da jardinagem.

A mesa grande de madeira da sala de jantar tinha sido levada para a varanda. Uma pequena mesa de fórmica, que ficava na cozinha, se juntou a ela. Ambas, coladas uma na outra, foram envolvidas por uma mesma toalha branca rendada, resultando em uma grande mesa de dez lugares. É sempre um acontecimento uma grande mesa.

Mais cedo, Abel, passando por ali, notara que os pratos decorados da mãe, que viviam trancados na cristaleira, estavam dispostos sobre a toalha. Dona Custódia ganhara aqueles pratos de porcelana chinesa da mãe de Antunes filho, que, por sua vez, os ganhara na ocasião do próprio casamento com Antunes pai. Flores cor-de-rosa aquareladas, concentradas no centro do prato, se dispersavam até as bordas, finalizadas com um delicado fio de ouro. Abel não conseguiu se lembrar de já ter visto aqueles pratos serem usados em toda a sua vida. Nenhuma outra ocasião fora capaz de destrancar a cristaleira. Sentiu o coração apertar, mas sabia ignorá-lo.

Segundo os cálculos de Abel, àquela altura já fechado em seu quarto, era a quarta vez que a campainha tocava. Sendo dez lugares à mesa, quatro para as pessoas da casa, podia-se concluir, mesmo sendo ele um zero à esquerda em termos de cálculos, que quase todos os convidados já haviam chegado. O burburinho crescia e ia ganhando um entusiasmo proporcional à pressão que Abel sentia nas costas. Fugir ou ficar? Espremeu-se entre as duas opções pouco animadoras. Era melhor se juntar ao grupo logo, concluiu, antes que a mãe gritasse por sua presença, fazendo com que todos se calassem para observar sua entrada humilhante na sala. Melhor chegar sem ser anunciado.

Abel não conhecia a turma da jardinagem. Durante todo aquele ano, se separava do irmão na entrada do colégio para reencontrá-lo, quando muito, na saída. Durante os preparativos do almoço, Custódia e Caim evitaram, mesmo sem terem combinado, manifestações muito efusivas na frente de Abel. Não fosse a contagem dos pratos e o cheiro do molho à bolonhesa, ele não se lembraria de que tinha chegado o dia.

Algumas semanas antes, Abel estava em casa quando Caim voltou da viagem ao Rio de Janeiro. Quando ele entrou na sala, Abel sentiu que alguma coisa no olhar, nos gestos, na maneira de falar do irmão mudara. Havia um magnetismo impactante: Caim se tornara um homem. Sobressaía-se. A maneira afetuosa com que se dirigiu a Abel, deixando para trás os desentendimentos dos últimos tempos, foi sentida como uma agressão. Aquela superioridade elegante era humilhante. Abel pouco ligava para a bomba, ou para o fracasso na matemática. Que os números fossem à mais absoluta merda. Ria-se por dentro do quanto todos estavam enganados quando pensavam que os estudos faziam com que se sentisse inferior... Não, não os estudos. Era alguma outra coisa, menos exata: a mão se soltando. O brilho fácil que envolvia Caim, por qualquer coisa, desde pequeno, doía nele como uma desvantagem. O irmão se deixava possuir. Tinha o mesmo fogo que vira acender o rosto de Parede, ao se encontrarem no corredor da escola, quando ele confessou ter acabado de viver alguma coisa radical. Era o arrebatamento. Que viesse a morte se fosse o preço. Este era o ponto: Caim pagava o preço da morte. Mesmo tendo tentado impedir Parede de pular naquele dia em que ele caiu, Caim também se jogava na vida. Abel não, seus apreços mal davam para tirá-lo da cama. Ao contrário, somente na cama, com os olhos fechados, as mãos frenéticas no sexo ereto e o pensamento em Veneza, ele se aventurava a saltar. Seria essa sua máxima aventura na vida? Quando ele conheceria o êxtase de verdade? Quando perderia os sentidos vivendo alguma coisa real? Seu corpo era uma prisão intransponível onde seu sangue se debatia, preso na solidão.

Depois da bomba, de ser convidado a se retirar da escola, ele só lamentava não dar mais os sete passos no recreio e esperar a aparição de Veneza. Procurar por ela era sua experiência radical. A Pregos & Etecetera, onde agora passava os dias ao lado do pai, tornou-se um lugar tão estreito quanto suas veias. Por horas, eles ficavam sozinhos, sem que ninguém entrasse. O pai abrindo e fechando caixas para se certificar de que não havia esquecido o lugar de cada coisa. Quando algum cliente chegava, Antunes gostava de se exibir na frente do filho. Como ele podia se excitar tanto com a espessura das lixas? Só mesmo se embebedando com frequência, era o pensamento grosseiro de Abel.

Nada era pior do que os arroubos reparadores de Antunes, imbuído de sua nova missão: fazer Abel ser alguém na vida! Queria que ele decorasse onde estavam os pregos, as fitas isolantes, os alicates. Esta era a perspectiva de um futuro menos medíocre: saber onde estavam os fios de cobre. Abel fingia se submeter à vontade do pai. Fingia esquecer, mesmo quando sabia exatamente em que caixa estava o gancho de duas pontas. Torturava o pai com uma proposital memória de galinha. Ninguém podia ser tão limitado! Em pouco tempo, Antunes se cansava e o silêncio vinha salvar os dois. Abel, então, via-se livre para se entregar aos latejos que pensar em Veneza provocava nele. O furor do sangue nas extremidades.

No meio do vozerio que irrompia por toda a casa, a risada de Antunes de repente se destacou. Só o álcool autorizava tal extroversão, pensou Abel, se apressando. Se chegasse na festa com o pai em adiantada alteração, seria alvo de inconveniências. Criou coragem. Atravessou a sala de jantar vazia e entrou na sala de visitas, onde uma porta larga dava para a varanda.

A primeira coisa que viu foi a satisfação de Antunes. Ele conversava animado com um rapaz baixo, de olhos apertados e cabelos muito penteados. A roupa impecável, camisa para dentro da calça, cinto de couro e sapatos que destoavam de sua juventude. Abel o reconheceu, era Lourenço. Já o tinha visto na escola. Antunes dava a ele instruções para que o chamasse de Tonico, apelido perdido na má vontade familiar. Há quanto tempo não sentia o afago dessa intimidade. Lourenço, prontamente, passou a chamá-lo de senhor Tonico. O que acabou causando, a uma certa altura da festa, gargalhadas no grupo. A extravagante formalidade de Lourenço era famosa entre eles desde o dia em que, numa discussão mais acalorada durante a jardinagem, ele mandou que todos fossem tomar no ânus. "Pode-se perder tudo, jamais o palmo que nos alongínqua de um interlocutor", dizia, com palavras encontradas na mesma loja em que adquirira os sapatos! Bastou isso para que seu jeito ganhasse grande potencial de divertir a todos. E ele o alimentava decorando palavras difíceis e empoeiradas.

Lourenço e Antunes tinham nas mãos cartas que pareciam de baralho, mas eram cartões com números impressos. Um jogo que Lourenço trouxera para a festa, já conhecendo a reputação de Antunes, relatada, muitas vezes, por Caim. Estavam disputando a habilidade de memorizar números e fazer contas de cabeça. E, até aquele momento precisamente, empatavam. A disputa se estendeu por muito tempo, só interrompida por breves ausências de Antunes. Ele escapava por alguns segundos e voltava mais vermelho do que tinha ido. Na frente de todos, a água era benta, mas no caminho... Bem, o corpo estava lá para não deixar as doses de cachaça mentirem. O fato é que a informalidade de Tonico crescia a olhos vistos, o que acabou fazendo com que Lourenço, contrariado, forjasse a própria derrota para se juntar ao restante do grupo na varanda.

Custódia, de olho no marido, enchia o copo dele de água enquanto chegava o nariz bem perto para farejar de onde vinha sua vermelhidão. Sentia o bafo da menta. Cochichou no ouvido dele, como uma mãe que belisca o filho por debaixo da mesa: "Se você beber mais um gole, insuportável, te boto pra fora!" Depois sorriu para manter as aparências, indo para a cozinha buscar uma rodada de tira-gosto.

Antes de tudo isso, enquanto Lourenço e o pai se entretinham, a presença de Abel fora praticamente ignorada. Ele ficou por ali, deslocado, assistindo à disputa entre os dois, até que Caim entrou na sala. A reação do irmão ao vê-lo foi vibrante. Caim pegou na mão de Abel e o levou até a varanda. Abel lhe entregou a mão, como se a ela entregasse um regresso. Como se ali, no tato do irmão, encontrasse seu chão, seu lugar de existir. Diante de professor Bruno, o óbvio ressoou especial:

— Este é Abel, meu irmão.

Em um acontecimento de alta voltagem, pode-se sentir todas as forças de uma só vez. Mas ao contá-lo, é preciso fatiar, repetir e repetir, para que os fragmentos, as fagulhas desgovernadas, encontrem algum sentido no amontoado indizível.

Ao pisar na varanda de mãos dadas com Caim, Abel viu num susto Antero, a quem atribuía poderes de despi-lo. Diante de quem ele se sentia escancarado, como se não houvesse meios de guardar nada só para si. Como se aquele menino intuísse tudo, adivinhasse as entranhas, desmascarasse as mágoas, lesse os pensamentos mais particulares. Como se ele soubesse do que não deveria sequer existir. Fosse a sensação de deslocamento, na arquibancada da quadra da escola, fosse o vergonhoso sangue ereto entre as pernas, diante do corpo morto de Parede, nada parecia escapar a olhos tão contrastados.

Antero era filho de uma brasileira negra e um europeu branco. Seu pai viera passar férias no litoral da Bahia. Lá conheceu sua mãe, Lorena. Os dois se apaixonaram perdidamente. A viagem que deveria demorar um mês se tornou uma temporada de seis meses. Quando ele precisou voltar para a Europa, foi disposto a encerrar um casamento já desfeito, organizar seus negócios e vir para o Brasil. Eufórico, teve notícias tropicais: seria pai, ao mesmo tempo que descobriu um tumor no pâncreas, já em estágio avançado. Morreu longe da mulher que amava e sem conhecer o filho que amaria. Algum tempo depois, Lorena viria a saber que estava rica. Mudou-

-se para Belo Horizonte, onde sua mãe vivia e matriculou Antero numa boa escola.

Professor Bruno logo notou o talento de Antero para a matemática e o convidou para fazer parte do grupo de jardinagem. Diante de um problema difícil, ele era capaz de observá-lo com calma. Não deixava o lápis se destrambelhar atrás do caminho mais óbvio. Sabia ler um enunciado, destrinchar um problema. Essa qualidade foi decisiva para a colocação dos jardineiros no encontro do Rio de Janeiro.

Ao pisar na varanda de mãos dadas com Caim, Abel viu Antero e sentiu um solavanco: ele entrara em campo e tornara-se parte essencial do time. Restava apenas ele, Abel, na arquibancada vazia. Em seguida, viu-se diante de professor Bruno Jardim, o gênio inspirador, capaz de atrair toneladas de afeto. O extremo oposto, o outro lado do mundo.

– Professor, este é Abel, meu irmão.

– Abel! – disse professor Bruno, com entusiasmo. – Barbaridade, como vocês são parecidos!

– Já fomos muito mais – observou Caim.

– Como eu não tenho outro parâmetro, para mim, vocês estão mais parecidos do que nunca!

– Exato, professor, como sempre! – disse Caim. – E este aqui é Antero, Abel. Vocês já se conhecem da escola.

– Claro – disse Antero, estendendo as mãos para Abel.

– Eu estava aqui dizendo, Abel, que na casa onde morei, onde nasci – na Serra da Saudade, um município do interior de Minas, pequenininho, que pertencia a Dores do Indaiá até alguns anos atrás, depois foi emancipada –, tinha um pé de abacate, como esse aqui de vocês. Frondoso, uma sombra generosa. Era o dono do quintal! Ficava completamente carregado de abacate. Aquilo demorava a amadurecer. A gente vigiava, enrolava no jornal para ver se ajudava a ficar maduro mais rápido, tínhamos uma pressa gulosa. Minha mãe sabia preparar um abacate gelado com leite, mel e limão que eu achava a melhor coisa do mundo.

— Eu gostava muito de subir nesse pé de abacate, professor. Por muito tempo, era o lugar mais alto da Terra. Eu me sentia um gigante lá de cima. Minha mãe enlouquecia mandando descer. Tinha pavor. Uma vez, nós decidimos construir uma torre de sucata mais alta do que ele. Lembra, Abel? — perguntou Caim. Abel confirmou com um movimento tímido da cabeça. — Não passamos da canela!

— São sempre enormes as coisas da infância, as maiores que teremos na vida, eu penso. As mais inesquecíveis. Talvez, as mais sentidas como verdadeiras. Passamos o resto do tempo atrás dessa sensação — disse Bruno Jardim, comovido. A lembrança de sua mãe, de quem se separara muito cedo para ir estudar, sempre o deixava engasgado. Abel sentiu aquelas palavras entrarem dentro dele e tudo parecia mesmo enorme. Nesse momento, Lourenço se juntou ao grupo, desfazendo a delicadeza que se desenhava.

— É preciso reconhecer que o senhor Tonico tem uma memória prodigiosa. É rápido e certeiro nas contas!

— Você perdeu? — perguntou Caim.

— Digamos que ele ganhou! — respondeu Lourenço, já duvidando se tinha sido uma boa ideia perder de propósito.

A campainha tocou.

Custódia chegou trazendo pastel quente.

— Estes são de queijo e estes, de carne. Cuidado que estão muito quentes, e o vapor queima que é uma coisa horrorosa.

Antunes chegou na varanda andando diminuído, toda a alegria desautorizada.

— Pai, você ganhou do Lourenço! Isso é um feito histórico, o sujeito não perde de ninguém. — Os olhos de Antunes se encheram d'água. Custódia não escondeu o asco. Ah... se ele chorar... Ai dele, se ele chorar, pensou alto o suficiente para reprimir o marido.

Abel notou que ninguém tinha ido abrir a porta. Era a oportunidade de se afastar. Desvencilhar-se. Recolheu os fragmentos do que acabara de viver e levou-os com ele. Estava confuso, misturado. Ao pisar na varanda com Caim, vira Antero e sentiu o solavanco de sua presença. Conheceu Bruno Jardim, a quem gostaria de menosprezar, mas deixou-se arrastar por suas palavras nostálgicas... Desprezou a mãe prestes a surtar, como sempre, por causa do pai, e o pai pateticamente fraco... A campainha tocou novamente. Abel estava quase lá... a mão de Caim ainda ardendo na sua... Abriu a porta: era Veneza.

10

Vedina liga novamente e, mais uma vez, cai na caixa postal.

No vácuo da voz metálica do outro lado da linha, ela se dá conta: estava errada. O peito, em brasa, incinera as palavras que dissera cinco anos e sete meses antes, quando Veneza foi procurá-la em sua casa. Tanto tempo depois, o significado do que ouvira da amiga, sua única amiga, soa preciso e tardio. Vedina não pode desfazer o gesto brutal de abandonar o filho, resta-lhe caos e clareza: é Veneza quem ela quer por perto.

Abandonei Augusto na calçada de uma avenida de mão única. Confessará, enojada de si. E os olhos de Veneza não se desviarão dos dela.

Veneza encontrará o que dizer e não será fácil ouvi-la. A boca rosa, carnuda, se movimentará, fazendo subir e descer as faces angulosas, ao dizer uma palavra atrás da outra, expondo sua verdade como uma janela escancarada, para em seguida saber o que deve ser feito. Sim, Veneza saberá o que deve ser feito, não com a arrogância da certeza, apenas com uma inarredável honestidade. Sua voz encorpará a frágil esperança, sem a qual não se pode enfrentar nada. Se é preciso começar de algum lugar, que seja do breu em que se está imerso.

O ar falta. Vedina aperta os dentes uns nos outros ao pensar no pavor que Augusto deve estar sentindo naquele exato momento. O mais difícil é o exato momento. Como imaginá-lo? O que Augusto estará fazendo com suas mãozinhas mornas?

Vedina sente uma urgência insuportável de se entregar a Veneza. Liga mais uma vez, insiste, o coração acelera na pausa indecisa do celular, mas novamente cai na caixa postal. Seus pés se tornam mais desesperadores do que seus atos. Precisa trocar os sapatos e procurar a polícia. Não pode mais adiar. Liga o carro e vai para casa.

9 *"As coisas reveladas pertencem a nós."*

Pode parecer uma contradição, mas até a desorientação precisa de tempo para se estabelecer. Não se tem espasmos musculares ou perde-se a voz e os movimentos sem que se leve alguns segundos. Quando Abel, já abalado o suficiente para se deitar na cama até o fim dos tempos, abriu a porta para Veneza, teve sorte de conseguir dizer "oi", antes que o teto se abrisse sob seus pés e o chão desabasse sobre sua cabeça. A paralisia aparente não deixava ver o sangue desordenado, vindo de muitos lugares, se chocar na boca perplexa de seu estômago. Pororocas no plexo solar. É imprevisível a timidez surpreendida. Veneza estava ali, desconcertante, acesa como uma estrela, a um marco de porta de Abel. Entre, era o que bastava dizer. Mas ele não dizia. Sua casa era lugar de imaginá-la, de possuí-la, não estava preparado para a realidade de carne e osso. Empedrou-se. E, como nada insistentemente acontecesse, Veneza se movimentou:

– Acho que cheguei para a sobremesa, Abel! – Ele não se moveu. – Ainda posso entrar? – brincou. Abel continuou desorganizado. A situação teria atingido graus patológicos de esquisitice se a voz confiante de Caim não tivesse atravessado a cena:

— Veneza, a garota mais pontual do jardim! Finalmente, hein?

Diante daquela voz que o salvou e também o feriu, Abel abriu caminho, depois de o irmão apresentá-lo a seu anjo. Caim e Veneza se afastaram casa adentro. E o que restou foi desordem. Abel considerou desaparecer. Talvez pudesse se trancar do lado de fora da casa. Enfiar-se em seu quarto debaixo da cama. Ninguém o procuraria debaixo da cama, não o tinham em tão absurda conta. Mas não... Ele apenas fechou a porta, sentindo partes do seu corpo maiores do que outras, assimétrico, deformado por sua esquisitice, e seguiu os dois. Estava dividido e também dominado pela necessidade de observar Veneza em seu próprio território, saberia borbulhar em silêncio, evitaria os olhos de Antero. Ela sabe meu nome, pensou. Mais uma vez, ao transformar esse nada em alguma coisa, enrubesceu.

Quando Veneza chegou na varanda conduzida por Caim, um grau a mais de luminosidade atingiu a todos. Era o que ela sempre fazia: riscava um fósforo em cada olhar. Antero, ao vê-la, sorriu com toda a largura dos dentes, e Lourenço não se conteve:

— Prejuízo imperdoável tanto atraso! É no mínimo menos tempo com você!

A reação coletiva e uníssona, gemida em dominó, foi uma mistura de carinho e previsibilidade, estavam todos acostumados com as seduções antiquadas de Lourenço e seus esforços de fazer parecer brincadeira o que no fundo era uma paixão desencorajada.

Professor Bruno se levantou para abraçar Veneza. Também não escapara de seus encantos. Ela fora capaz de desestabilizar a terra firme em que ele pisava. Fosse por convicções atávicas ou acomodada distração, o certo é que, até aquele ano, nunca uma mulher fizera parte do grupo de estudos do professor. Não era uma regra, não havia um impedimento formal, nenhum nível de explicitação, mas elas nunca eram convidadas. Parecia tão natural quanto nascer com duas orelhas. Professor Bruno, no fundo, achava que matemática era coisa de homem. Não porque as mulheres não fossem capazes, elas simplesmente não se interessavam de verdade pela matemática. Para ele, os homens têm uma motivação visceral em explicar o mundo, enquanto as mulheres querem apenas amá-lo. E depois, ter uma mulher no grupo traria transtornos operacionais. Os pais poderiam se recusar a autorizar que suas filhas viajassem acompanhadas de tanta testosterona, uma vez que a ciência exata nunca pode com a biológica. Seria necessária e trabalhosa uma logística muito maior, e ele não dispunha nem de recursos nem de boa vontade. O fato é que não passava pela cabeça de professor Bruno convidar garotas para a jardinagem. Muitas tinham boas notas, se destacariam se fossem observadas com interesse, mas não o eram. Até o dia em que Veneza foi ter com ele e, sem tergiversar, disse:

— Professor, eu gostaria de fazer parte do grupo de estudos de matemática. O senhor poderia me avaliar?

O professor, sempre rápido em seus raciocínios, titubeou. Poderia? Deveria? Veneza esperou a resposta, sem apressá-lo. Para se livrar ligeiro daqueles olhos inarredáveis, ele prometeu pensar.

— Pensar? — questionou ela. — O senhor precisa de tempo para pensar se pode me avaliar?

Aquilo soou aos ouvidos dele como um violino mal tocado. Professor Bruno era inteligente o suficiente para perceber o que estava sendo confrontado e soube, porque era rápido em saber, que o desconforto que sentia era pela mudança irrefreável que se punha a caminho, e também por sentir uma súbita culpa de não ter sido ele a colocá-la em marcha. Chateava-se quando era convocado a pensar em problemas menos geométricos, mas não teve escapatória: Veneza, diante dele, não tinha pressa. Por alguns minutos, ele pareceu ausente, a cabeça, funcionando atrás de um rosto paralisado, buscava um pouco de lógica dentro de si para mudar o que não tinha lógica nenhuma.

Todos os brilhantes membros do grupo de matemática são homens.

Verdade, pensou, Veneza é mulher.

Logo, não pode ser um brilhante membro do grupo de matemática.

Falácia!

Segundo as regras do silogismo aristotélico: de duas premissas particulares nada se pode concluir. Duas verdades, mal postas, podem bem contar uma grande mentira. Refez seus pressupostos:

Só alunos brilhantes em matemática podem fazer parte do grupo de estudos matemáticos.

Verdade.

Se Veneza for brilhante em matemática, então poderá fazer parte do grupo de estudos matemáticos.

Verdade?

Em uma proposição composta condicional, se a primeira e a segunda proposições forem verdadeiras, será verdadeiro o valor lógico.

Logo, verificando-se a veracidade da afirmação "Veneza é brilhante em matemática", não caberia outra decisão senão permitir que ela fizesse parte do grupo de estudos matemáticos.

– Sim – disse professor Bruno –, vou avaliar suas aptidões matemáticas.

– E o senhor pode avaliar as de Vedina também?

"Vedina? Também?", pensou contrariado, mas, aristotélico, respondeu que "sim". Todos os alunos têm os mesmos direitos, e sendo Vedina aluna...

Duas semanas depois, Veneza e Vedina se tornaram membros do grupo de estudos matemáticos de professor Bruno. Jardineiras oficiais. Eram boas. Veneza com entusiasmo, Vedina com sabedoria, melhor que fossem duas mulheres do que uma.

Ao receber Veneza de braços abertos no almoço na casa de Caim aquela tarde, professor Bruno reconheceu, com gratidão, as mudanças que ela provocara nele, e como o grupo, aquele ano, fora efetivo como sempre, e afetivo como nunca. Sentiu uma imensa ternura ao abraçá-la.

– E Vedina, já chegou? – perguntou Veneza, fazendo uma pequena busca pelo ambiente.

– Foi a primeira a chegar – disse Caim. – Já está até na cozinha aprendendo o molho à bolonhesa da minha mãe. Venha cá, deixa eu te apresentar meus pais. Senhor Antunes e dona Custódia, esta é Veneza.

Antunes se aproximou com certa timidez e Custódia rapidamente liberou as mãos para cumprimentar Veneza, devolvendo para a mesa uns copos sujos que acabara de recolher.

Ver Veneza pela primeira vez era expor-se ao impacto delicioso da harmonia. A franja curta, os cabelos castanho-acobreados, a pele sedosa, o nariz grego e a boca rosada que só de olhar se provava macia. Ela parecia pisar em um território sem limites, não porque os desrespeitasse, mas porque havia uma autorização imediata dos que a rodeavam para que fizesse o que bem entendesse. Quando Veneza se aproximava, o desejo era assisti-la. Corria-se o risco de pregar os olhos nela tão excessivamente a ponto de babar constrangimento. Não era beleza apenas, era graça. Um jeito direto e ao mesmo tempo delicado de tocar nas palavras. Firmeza e doçura. Força e delicadeza. Coisas que costumam não se misturar, e que nela produziam uma novidade atraente.

Veneza abraçou Custódia e depois Antunes, o que já foi surpreendente, não só pela intimidade instantânea, mas porque havia naquele abraço saudade. "Há muito tempo tenho vontade de conhecer vocês", disse. Contou que Caim falava deles com carinho e seu olhar era terno e sincero. Os dois ficaram diante dela como animaizinhos famintos, querendo ser alimentados. Que ela contasse mais, pediram, que dissesse o que o filho falava deles. Que soltasse as palavras que, de sua boca impressionante, sairiam verdadeiras. Estavam tão cansados, Antunes e Custódia. Tão embolados nos afazeres do dia a dia, tão acostumados ao áspero. Temiam ter errado mais do que acertado com os filhos, e esse pensamento dominava suas aleatórias e infalíveis insônias. Amanheciam com o peso irremissível de terem estragado tudo. Porque os dois, separadamente, lembravam que, em alguns momentos, podiam ter tomado um outro rumo. Agora, duvidavam juntos que pudessem inspirar carinho... Ah, não souberam proteger os filhos do ressentimento entre eles, os pais. Não souberam evitar os rancores de um casamento afrontado. Maltrataram-se, não só mutuamente, mas, sobretudo, cada um a si mesmo. Foram persistentes, a cada olhar, a cada troca de palavras, a cada indiferença, em fustigar a autoestima um do outro, exercitando o poder de se fazerem murchar como uma rosa vencida. Os dois se achavam piores do que tinham sido e sentiam-se mal a maior parte do tempo. Reagiam de maneiras diferentes, mas, no fundo, era um mesmo desamparo. Um elogio, naquela varanda de sombra e brisa, tinha poderes cicatrizantes.

Veneza não inventou nada. Contou a Custódia e a Antunes exatamente o que Caim dissera a ela. Que amava o cheiro da rosca que a mãe amassava nas manhãs de sábado e o gosto dos biscoitos de queijo, que aprendera com a avó, e que ninguém no mundo fazia como ela. Que sempre adorou as mãos habilidosas da mãe e as coisas que elas eram capazes de fazer. Lembrava-se dos lençóis perfumados que ela estendia de um jeito impecável, passando as mãos firmes inúmeras vezes sobre ele, e da sensação de entrar em um mundo sereno e seguro quando se deitava. Que gostava, também, de se largar no chão encerado, obsessivamente encerado, e ver o reflexo dos carrinhos dele e de Abel trombando em alta velocidade. Os dois faziam aquilo com o coração disparado com medo de arranhar o chão, o que faria o mundo desabar em suas cabeças, porque a mãe também sabia ser dramática. Ele e Abel adoravam quando Custódia, na hora de dormir, se deitava entre eles e falava de seu pai e dos apertos que passou, quando pequena, para não apanhar. Histórias que ela era obrigada a repetir inúmeras vezes sem alterar nem uma vírgula, nem uma entonação sequer. Eles, então, torciam para que a mãe começasse a embolar a voz e a falar coisas desconexas até adormecer. Nesses dias, pegavam na mão de Custódia e dormiam em paz, ela estaria ali se eles acordassem no meio da noite. Combinaram que a mãe amaria os dois o mesmo tanto para o resto da vida, já que eram iguais e tinham o mesmo nome.

Do pai, Caim contara que foi ele quem o fez gostar de matemática. Que quando ia para a Pregos & Etecetera e via Antunes memorizar a lista de compras dos clientes, sem errar ou esquecer nenhum produto, e depois dar o preço de cabeça na exatidão dos centavos, desejava, no fundo do seu coração, ser tão bom quanto ele quando crescesse. Desejava, também, sentir o contentamento que via o pai sentir naqueles momentos.

— E sabe, senhor Antunes, o que ele me disse que mais gostava no senhor? — perguntou Veneza, olhando com tanto interesse para Antunes filho que ele precisou apoiar as mãos em uma cadeira. — Quando o senhor ia atrás dele e de Abel, antes de sair de casa e sempre que voltava da rua, só para dar um beijo, esfregando, de propósito, a barba no rosto dele, arrancando risadas que o deixavam mole.

Quando Veneza se calou, Custódia e Antunes estavam comovidos. Nunca poderiam imaginar que restasse tanto em Caim.

Custódia logo admitiu que era mesmo incansável. Nunca tolerou pessoas que pudessem ajudá-la com as tarefas da casa. As empregadas não ficavam muito tempo. Arcava sozinha com seus níveis de exigência. Acordava cedo, lavava o terreiro, amassava roscas e biscoitos, botava as cadeiras de pernas para o ar sobre a mesa, limpava o chão até virar um espelho. Enquanto a rosca dourava no forno e os biscoitos de queijo esperavam sua vez no tabuleiro, ela separava as roupas, ligava a máquina de lavar, dava faxina nos banheiros colocando tudo para fora e jogando água do chão ao teto. A casa era limpa e cheirosa, a comida nunca atrasava e era sempre quente e bem-temperada. Em que momento aquelas tarefas se tornaram um jeito de amar? Como esse pensamento esquentou o coração de Custódia! Suas mãos habilidosas no coração de Caim. Durante tantos anos ela se ateve apenas ao fardo de que todo aquele esforço se desfaria em poucas horas, como se essa fosse a medida de seu próprio valor. A poeira retornaria aos móveis, a pia se encheria de louças, o chão seria pisado... E, no entanto, nem tudo fora provisório. Restou o carinho em Caim, o amor se infiltrou pelas mãos das coisas miúdas. Embalada pela voz de Veneza, Custódia vislumbrou a promessa que fizera a si mesma: daria aos filhos o carinho que nunca teve.

O pai de Custódia era severo e ignorante. Um bruto. Do tipo que sempre confundiu respeito com medo. Tratava a mulher como uma empregada que existia para obedecer e satisfazer seus horários, seu apetite e suas necessidades de alívio, como se fosse um penico. O compromisso dele era botar comida dentro de casa. Não deixar faltar nada à mesa. Garantir a trava na porta à noite. Zombar dos medos, ridicularizar a fraqueza. Ser a última voz. Ser obedecido.

Religiosa, a mãe de Custódia era submissa. A Bíblia confirmava seu destino sem oferecer saída. Assim lia, assim era. Uma mulher calada, fechada e prática. Vivia a vida que lhe coubera. Se sofria, não se fazia de coitada. Mas tinha sempre uma impaciência na testa. Disciplinada, os dias divididos em tarefas, o peso de só se deitar com a cozinha limpa. Nenhum ócio, mãos ocupadas, nada de dar tempo ao diabo. Seu jeito de amar Custódia era a obsessão pela reputação da filha. A única mulher de cinco filhos. Virgindade: o dote precioso, o pote de ouro a ser defendido à custa de julgamentos e preconceitos contra toda alegria. Se no mundo os costumes evoluíam, no interior de Minas nada se movia, nada vencia o paredão de montanhas. A diversão andava de mãos dadas com a perdição. Tudo era oportunidade de extravio. Custódia, então, começou a sonhar com uma outra vida. Casou-se sem entusiasmo mas mudou-se convicta. Quando quis ter um filho, quando insistiu em fazê-lo, tolerando o sexo de que não gostava, quando se entregou à obsessão religiosa atrás de um milagre fecundo, arquitetava uma vingança: ser o oposto da mãe. Queria um filho para amar de outro jeito, com quantidades abundantes de carinho e proteção. Foi então que Antunes jogou um borrão de piche na paisagem que ela pintava. E quando ele se arrependeu mil vezes, já era tarde. Deu-se o inferno, lugar onde se arrepender não faz a menor diferença. Mas ali, hipnotizados pela voz de Veneza e pela beleza das palavras que ela escolhia, todas as coisas passadas pareciam menos ferro e fogo. A sensação que Custódia e Antunes experimentaram foi de uma lambida de afago, queriam ficar ali para sempre. Então, Vedina apareceu na varanda e a eternidade se dissipou.

— Dona Custódia, as meninas estão chamando a senhora, parece que está tudo pronto!

Custódia correu até a cozinha para a conferência final. Excepcionalmente naquele dia, aceitara mais ajudantes do que de costume, sem abrir mão de sua impressão digital em cada louça, na quantidade de sal destinada a cada prato, na espessura dos caldos, no corte esquadrinhado da cebola e no ponto exato de todo cru ou cozido que saísse daquela cozinha.

Na varanda, o time completo de jardineiros rapidamente se entrosou. A alegria merecida do dever cumprido, o repertório de casos, as zombarias carinhosas e as perspectivas de futuro ganharam volume. A festa engrenou.

Abel, que ouvira com sentimentos dúbios tudo em relação a Caim, narrado pela voz de Veneza de maneira tão encantadora, continuou por ali, temendo não conseguir se manter invisível, preso ao magnetismo de seu anjo encarnado, na varanda de sua casa! Que assombro. Bem na varanda de sua casa!

Quando Vedina se juntou ao grupo, ele reconheceu, na hora, a menina magra e alta, cujas orelhas escandalosas rompiam o cabelo liso como um iceberg rompe a superfície do mar. Era a amiga inseparável de Veneza. Bem menos desengonçada, assim de perto, do que quando a via do segundo andar, lá embaixo no pátio, andando ao lado de Veneza. Parecia ter crescido demais e não se entender com as próprias pernas. Tombava o corpo um pouco para a frente para equilibrar um volume que não sabia ocupar. Mas ali, não, ali parecia ter encontrado um eixo.

Quando ela o cumprimentou, Abel sentiu o rosto corar. Que embaraço. O que ela poderia pensar? Que tinha... sei lá, poderes de perturbá-lo? Com um solavanco involuntário no ombro, rechaçou a ideia: não era nada com ela... Vedina não passava de uma escada, uma ponte que, ao se aproximar dele, aproximava-o de Veneza.

Mesmo incapaz de participar da conversa – a voz de Abel não seria ouvida naquela tarde –, ele começou a sentir o que se poderia chamar de um certo interesse. A suspensão, momentânea, da própria algazarra interna, diante da intimidade que presenciava no grupo, pareceu arrancá-lo de seu solipsismo. Deu um pequeno passo para fora de seu mundo fechado, mesmo que fosse apenas, e era, para sorver atentamente a matéria que encorparia suas obsessões. Veneza: voragem e vulcão. Rebojo versus erupção. A luta entre ser tragado ou se derramar.

O almoço foi servido! Sobre a mesa, a macarronada à bolonhesa soltava fumaça. Uma das coisas de que Custódia mais se orgulhava na vida era de colocar a comida quente na mesa. Os convidados se sentaram de maneira aleatória, embora o destino não conheça essa palavra, cada acaso tem poderes de deslocar os acontecimentos e eles se tornam o que são. Como em um jogo de tabuleiro, a disposição das peças em uma mesa contém em si o desenlace. Na frente de Caim, Abel. Do lado, Veneza. Do outro lado, Antero. Vedina e Lourenço à direita e à esquerda de Abel. Nas cabeceiras, professor Bruno e Antunes. Custódia, mais se movimentando do que sentada, estava ao lado de Antunes. Em frente a ela, uma cadeira vazia onde deveria estar padre Tadeu, que precisara voltar para o Espírito Santo, por isso não pôde comparecer.

A conversa seguiu animada, interrompida nas primeiras garfadas para exaltar a macarronada: "Maravilhosa!", "Nunca comi nada igual!", "De comer ajoelhado", os elogios pipocaram num crescente até que Lourenço, com um "Deleitosíssima!", puxou a chuva de aplausos. Custódia agradeceu com um sorriso largo onde não cabia nem sombra de modéstia.

O assunto que tomou conta do almoço e arrancou risadas de todos foi a distração patológica de professor Bruno. Na verdade, o excesso de concentração no mundo invisível da matemática, que o deixava em constante perigo diante de tarefas realizadas com facilidade por qualquer criança.

Certa vez, contou ele a pedido dos demais, entre uma garfada e outra, quando morava em uma pequena vila militar, em Angra dos Reis, onde lecionava matemática no colégio do Exército, caíra uma chuva tremenda. Um oficial de alta patente, cara fechada, poucas palavras, que também morava na vila, ofereceu-lhe uma carona até sua casa. O gesto fora cortês, mas a cara permaneceu trombuda ao longo de todo o trajeto. Ao chegar na vila, onde todas as casas eram iguais mas de cores diferentes, e ao ser perguntado qual era a cor de sua casa, professor Bruno não teve jeito de se lembrar, como também não sabia mais como chegar lá. Estava tão acostumado a fazer aquilo mecanicamente, distraído, que quando foi convocado a fazê-lo atento teve um branco completo. Depois de algumas voltas, aflito de vergonha, para se livrar do constrangimento e do oficial, apontou para uma casa qualquer e disse: "É aqui!" "Aqui?", perguntou o oficial, mais sisudo do que antes. "Sim, exatamente", disse o professor, já com a mão na maçaneta. "Não, professor, definitivamente não é aqui. Esta casa é a minha." Os jardineiros adoravam essa história, principalmente porque, ao contá-la, professor Bruno ria tanto que custava a encaixar as palavras no meio da gargalhada. "Imaginem a cara desse sujeito e depois imaginem a minha!" Ninguém escapava de ser contagiado pelo riso que obrigava o professor a enxugar os olhos com o guardanapo. Nem a matemática o divertia tanto.

Padre Tadeu também foi protagonista de muitas histórias engraçadas. Falaram dele com carinho, de como era querido por todos os alunos, e lamentaram que ele não tivesse vindo ao almoço! A diversão teria sido dobrada. Lembraram o caso famoso na escola, que por pouco não complicou seriamente a vida dele, do dia em que recebeu uma mãe com um filho encapetado em sua sala. Ela queria reclamar das constantes advertências que o menino vinha recebendo, o que chamou de perseguição da professora Mariela. Enquanto eles conversavam, o menino subia onde não podia, pegava no que não devia, jogava coisas no chão, um abuso atrás do outro, e a mãe se fazendo de morta. Em um dado momento, o capetinha viu uma cruz dependurada no pescoço de padre Tadeu e veio para cima dele, querendo arrancá-la com suas mãozinhas gordinhas. Padre Tadeu não teve dúvidas, deu uma canelada no menino, curta e seca, com sua bengala. Pegou de jeito no ossinho do tornozelo. O endiabrado começou a chorar e a mãe disse, indignada: "Padre, o senhor bateu no meu filho na minha frente?" "Oh, me desculpe, a senhora estava aqui? Pensei que não estivesse!", disse padre Tadeu com os olhos pequenos afiados. Aquilo foi um escândalo. Mãe e filho saíram e nunca mais voltaram. Passado o susto das consequências, a história se tornou uma pérola.

— Minha mãe também deu trabalho para o padre Tadeu — disse Caim —, mas, no caso dela, quem tomou a surra foi ele. Ficaram tão amigos que ela até fez um cachecol de presente para ele — completou Caim, rindo, aproveitando que Custódia tinha ido até a cozinha atrás da sobremesa.

Doce de leite com abacaxi e sorvete de creme. Antes de começar a servir, alguém puxou o coro, pedindo que professor Bruno fizesse um discurso em homenagem a Caim! O que ele, prontamente, se dispôs a fazer:

— Vocês sabem que não sou de fazer muitos elogios. Acho um perigo o elogio excessivo. Gera vaidade, e vaidade é um vício terrível. As pessoas se agarram a ela e ficam comprometidas em manter os elogios em alta, o que é fatal em qualquer área: nas artes, na ciência e principalmente na vida. Além disso, a maior parte das coisas incríveis que somos capazes de fazer, não fazemos porque somos particularmente incríveis. Muita coisa precisa acontecer ao mesmo tempo, e não é mérito de ninguém orquestrar todas elas. De modo que sou um avarento convicto em termos de elogio. Mas é preciso reconhecer uma grande conquista com alegria. E hoje é dia de fazer isso, não é? Tivemos um ano excepcional juntos, e estamos aqui para festejar a formatura de todos vocês, mas sobretudo de Caim, que está nos proporcionando esse encontro formidável. De modo que eu me sinto honrado em poder dizer algumas palavras ao senhor Antunes e dona Custódia, sobre o filho de vocês. Caim é um rapaz brilhante, mas não só em matemática, em todas as disciplinas, o que não costuma ser comum e, ainda por cima, dizem que é bom de bola. Tenho para mim que o grande talento dele é a curiosidade, além do senso de humor, que é de longe a melhor inteligência que se pode ter. Caim só tem um defeito, que eu espero que ele corrija rapidamente: dá mais atenção à álgebra do que à geometria...

Enquanto professor Bruno fazia seu discurso, sob o olhar atento e comovido de todos, Abel, que o acompanhava com a atenção dividida, olhando de tempos em tempos para Veneza, decifrando as reações dela, subitamente perdeu a cor. Viu as mãos de Caim e Veneza discretamente se tocarem. Não fora um toque ao acaso, um simples esbarrão. Também não fora um primeiro toque. Aquelas mãos já se conheciam, já gostavam uma da outra em segredo. A força do que Abel sentiu poderia derrubá-lo no chão. Estava pronto para se descontrolar. Na luta entre o sorvedouro e o vulcão, venceria o vulcão. Despejaria tudo. Já no fim do discurso de professor Bruno, talvez na última frase: "Eu só posso desejar a Caim e a todos vocês um belo caminho pela frente!" Neste momento, Abel se levantou bruscamente, atraindo os olhares. Ele de pé, todos sentados. O rosto exangue, a lava ebulindo no peito. Antero, em frente a ele, na mesma hora, em frações de segundos, tempo em que nada pode se fixar, levantou-se também com um copo na mão, transformando o gesto de Abel em um convite para um brinde:

– Um brinde ao nosso grande amigo – disse, eloquente, fazendo todos se levantarem e brindarem a sorte de Caim.

A alegria explodiu no grupo ao som dos copos batendo uns nos outros. Por um segundo, no meio de toda aquela exaltação, os olhos de Abel, deslocados, cruzaram com os de Antero, e ele viu que nada havia escapado aos olhos contrastados dele. Fora salvo. E os dois souberam que era apenas um adiamento.

Pouco depois, Abel foi se trancar em seu quarto. Deitou-se na cama invadido pelas lembranças.

— Eu quero subir lá em cima — disse Abel, entrando debaixo da coberta de Abelzinho.

— Onde?

— No pé de abacate.

— É fácil.

— Eu tenho medo... Aquele tronco arranha meu braço.

— Mas não dói tanto. O mais que dói é um pouco.

— O que você vê lá de cima?

— O Foguete.

— Ele é muito grande.

— Lá de cima é pequeno.

— Ele é feroz?

— Não! Ele busca a bolinha que a menina joga.

— Ela não tem medo dele?

— Ela manda nele. Ele senta e deita só dela mandar.

— Eu tenho medo de cair.

— Você segura com força no galho.

— E se der um vento?

— Você põe mais força.

— Você não tem medo?

— Não, eu seguro! Só tenho medo do pai ver. Ele disse que vai bater na gente se a gente subir lá.

— Eu nunca subi lá mesmo... Só você que sobe

— Tanto faz, a gente é igual.

— O pai só fica bravo de tarde, de manhã ele não bebe cachaça. Você me ajuda a subir?

— Ajudo.

— Amanhã?

— Quando o pai não tiver em casa... Eu empurro sua bunda pra cima, a gente sobe no latão.

— Ele vira com a gente. Nunca dá certo!

– Já seeei! A gente pega a escada de madeira.

– A gente não aguenta.

– A gente arrasta ela.

– Tá bem.

– E se eu cair? Mãe falou que morre e pai falou que aleija. Quem sabe mais dos dois? Pai ou mãe?

– Não sei, mas eu não caio.

– E se eu cair?

– Eu te seguro.

– Segura?

– Seguro.

– Por que você gosta tanto de ir lá em cima, Abelzinho?

– Pra ficar maior do que tudo, Abel.

Naquela noite, os dois dormiram com os pezinhos juntos. Acordaram cedo, antes de Antunes e Custódia, passaram pisando em ovos pela cozinha, comeram uma banana e foram atrás da escada. Arrastaram a magrela, que não era tão pesada assim, para perto do abacateiro. Logo depois, os pais acordaram. Foram tomar café, e Custódia convocou os dois para irem até o mercado com ela. Lá se foi a manhã, a aventura ficou para depois do almoço. Depois de almoçar, o pai demorou para ir trabalhar, mas assim que ele saiu, os dois correram para o quintal. Levantar a escada foi a parte mais difícil de todas, custaram a firmar a danada de pé no abacateiro. Abel teve vontade de desistir, o medo parecia maior do que a curiosidade, mas o irmão não deixou:

– Você vai ver o Foguete, Abel!

E garantiu que segurava a escada e que segurava Abel também se ele caísse.

Então, Abel foi.

No alto do abacateiro, Abel derramou-se num contentamento espumoso como uma cerveja gelada. A sensação de estar lá no alto, de ser maior do que tudo e de ver o topo da cabeça de Abelzinho foi a melhor sensação que teve em toda sua pequena vida. E, quando olhou para a casa do vizinho e viu Foguete, chegou a soltar uma das mãos do galho que segurava e se esqueceu de ter medo. O cachorro, um pastor alemão, viu o menino lá em cima da árvore e correu, fazendo jus ao nome que tinha, voltou com uma bolinha azul na boca e o rabo eufórico. Na certa achou que se exibia para Abelzinho, seu conhecido daquelas alturas. Abelzinho, vendo a alegria do irmão, quis chegar mais perto e subiu também na árvore. E com um entusiasmo anfitrião foi mostrando tudo o que podia ser apreciado lá de cima: piscina limpa, piscina suja, carcaças, bicicletas e a torre da igreja de Nossa Senhora das Dores. Estavam assim nessa farra quando Antunes sacudiu a árvore e levou a escada. Depois voltou de novo e mandou nervoso:

— Desçam daí, os dois. — Abel começou a tremer.

— Não consigo descer, pai — disse Abel, arrancado com violência da mais estupenda felicidade que teve na vida.

— Você não subiu?

— Mas tinha a escada, pai.

— Agora não tem mais, pode descer. Os dois. Anda! — gritou Antunes. Abelzinho começou a descer, sabia fazer aquilo de cor.

— Abelzinho, não me larga aqui — disse Abel, chorando.

— Larga sim, senhor. Larga já! — mandou Antunes.

— Mas, pai... Meu irmão...

— Isso é problema dele. Desce, agora. — Abelzinho desceu com o olho cheio d'água, com tanta raiva do pai que custou a perdoá-lo.

— Agora é você — disse Antunes aos berros. Abel não se mexia. Custódia chegou, tentando acalmar o marido e salvar o filho. Foguete latiu do outro lado do muro.

— Antunes, ajuda o menino, ele pode cair!

— Pois que caia! Eu avisei que podia cair, não avisei? Você avisou, não avisou? Ele foi e subiu assim mesmo, não subiu?

— Pelo amor de Deus, Antunes, se acalme. Ele pode se machucar.

— Pai...

— Você cala a boca. Vai para o seu quarto, agora. E você, Abel, desce já daí que eu tô perdendo a paciência, menino. Seu irmão não desceu? Deixa de ser maricas!

Mas Abel não conseguia se mexer, foi sendo tomado pelo pavor de morrer ou ficar aleijado, até que viu, no encontro do tronco com o galho em que pisava, um ninho de passarinho cheio de ovinhos. Foi tragado por um descontrole e começou a pisotear os ovinhos arrebentando tudo, melando o pé descalço, toda a raiva esmagando a fragilidade daqueles ovos. Custódia, vendo o surto do filho, buscou a escada e o resgatou. Antunes esperou lá embaixo, sentindo-se desrespeitado pela mulher, e não deixou que a coisa se resolvesse assim, no colo da mãe. Pegou Abel pelo braço e deu nele uma surra.

— Isso é pra você não se meter com o que não aguenta. Você não subiu na árvore? Pois então, ou sabe descer ou não sobe!

Como o pai teve coragem de dizer aquilo? Logo ele, um fraco, que subiu na cachaça e nunca mais desceu, pensou Abel trancado no quarto, ouvindo o burburinho da festa de Caim. Os amigos todos ainda estavam na casa. Será que os olhos de Antero poderiam alcançá-lo ali, em seu quarto? Poderiam atravessar as paredes e adivinhar as lembranças que o invadiram? Será que Veneza e Caim estariam de mãos dadas? Alguma coisa se repetia dentro dele: as maiores alegrias de sua vida andavam de braços dados com as piores humilhações.

11

Liga o carro e vai para casa.

Dois quarteirões antes de chegar, Vedina para em uma lanchonete. Além dos pés, a fome fere. Não comeu nada até aquele momento. A cabeça dá sinais de que vai doer. Ela morde o pastel quente e não pode impedir que o queijo Minas derreta felicidade dentro dela. O breve prazer sobrevém ao desespero e, além de culpa, pode render a manchete mais cruel de todas: "Abandonou o filho e foi comer pastel." Uma outra versão do "Matou a família e foi ao cinema", pensa Vedina. O estômago revira o pastel muitas vezes. Sente repulsa por si. Enjoa. A verdade, em poucas palavras, é crua como um bicho morto no asfalto.

Vedina decide ir andando para casa, mesmo com os pés sob tortura. Não quer ter de entrar na garagem e provavelmente não encontrará uma vaga muito mais perto. Sua rua, antes, era calma, mas um cursinho pré-vestibular na esquina acabou com as vagas para estacionar. O carro de Abel não está na garagem, constata aliviada. Ele não está em casa. Como vai contar a ele? Augusto, como direi a seu pai que o menininho dele sumiu?

Vedina tem mãos trêmulas ao encaixar a chave na fechadura, entra em casa com o temor de quem invade. Prende o ar e aperta os olhos como se pudesse consubstanciar o milagre de encontrar a avó viva de braços abertos no meio da sala. A avó diria que seu amor por ela é incondicional. Vedina nunca precisou de amor incondicional. Sempre fez sua parte, preencheu todos os requisitos. Precisa do milagre: que o irreversível não seja palavra tão sem volta.

Ela atravessa a sala. Os cacos de vidro não estão mais espalhados pelo chão, foram recolhidos por Abel. Vedina segue pelo corredor, os olhos fixos no fim, o pescoço rijo de propósito. Prende a respiração: não quer ver o quarto de Augusto, não vai suportar, nem de relance, a cama desfeita, as roupinhas espalhadas, a bagunça cheia de vida.

Chega em seu quarto e expira a etapa vencida. Como podia estar ali e não procurando por Augusto? Tira os sapatos apertados... O alívio... Nada faz mais por uma palavra do que tirar-os-sapatos-apertados faz por alívio. O dedo lateja, tem sangue seco nas unhas.

Vedina caminha até o banheiro. Quantas vezes se trancou ali dentro e chorou. Quantas vezes o eco azulejado das palavras duras diante do grande espelho, quando ela se enfrentava. Aquela figura invertida e descrente do outro lado, imagem sem dor, capaz de zombar dela. Testemunha da vergonhosa ilusão e do maior papel de besta de toda a sua vida. O papel de seda desembrulhando a lingerie nova. Linda. Vermelha. Premeditada. Até o dia do casamento, o desejo entre ela e Abel fora uma interminável curva. Imprevisível. Adiado. Derrotado pelos lugares impróprios, volúpias abortadas, assimetrias no querer. De onde vinha e para onde ia o desejo de Abel? Fugidio, tímido, fatal. Mas aquela noite era reta: estavam casados. Todos os obstáculos removidos. A casa inteira só deles. A cama com lençóis de enxoval. As bênçãos sacramentadas. A liberdade autorizada.

Vedina tenta, mas não pode evitar a engrenagem obsessiva dos pensamentos no lugar das providências. A paralisia no lugar da urgência... Mais um pouco apenas, e só pensarei em você, filho.

Naquela noite, ela se demorou no banho, palmilhou cada pedaço de pele, as reentrâncias, as texturas. Banhou, secou com toalha sensível, perfumou a seda. O sexo depilado para a intimidade. Nada escapou ao espelho de cristal. Observador. Única testemunha. Despediu-se de sua imagem com malícia, apagou a luz, e o último reflexo treinava ares concupiscentes. Entrou no quarto. Queria o efeito do robe transparente flutuando ao andar, subindo e descendo como fariam as pélvis enganchadas. A transparência mostrando o seio bem-feito. Abel, na cama, tomado de nenhuma palavra, olhos indecifráveis, veria a seda cair dos ombros dela até o chão, percorrendo a altura do corpo extenso e inexperiente. Mas Abel não estava lá. A cama estava vazia. O quarto, vazio. A casa, vazia. Vedina esperou que ele voltasse. Experimentou algumas posições na expectativa do melhor ângulo virado para a porta do quarto. Mas a porta não se abriu. Ela andou pela casa, segurando com decepção o robe, evitando com dedos apertados o ridículo de vê-lo flutuar. Abel não estava em nenhuma parte. Informe, Vedina largou-se debaixo do lençol, um amontoado de carne tentando ser uma pessoa. E o distante cheiro de lavanda jamais voltaria a ser suportado.

Seria aquela a hora exata em que abandonar Augusto começou? Seria essa a cena dominante, fazendo do resto da vida uma busca insana de sua resolução? Tônica como destino. Dois ou três acontecimentos amarrando em nós o desfecho de uma vida. Toma-se o caminho ou se é tomado por ele?

Só mais um pouco, filho.

Os pés ainda latejam. Vedina senta-se na cama e calça o tênis de caminhar.

8 *Conjecturas da alma: pode-se deduzir as particularidades de um ser a partir de pequenas regiões desse ser?*

A primeira vez que Custódia viu o lençol de Abel sujo do que ela considerava uma "noitada", fez um drama justo com dona Aparecida, a lavadeira. Uma mulher simples e seríssima, que trabalhava de pé, da hora que chegava até a hora de ir embora, sem dar uma palavra. A roupa ficava impecável, mas Custódia implicava com a falta de interlocução. Tomava por mau humor aquela concentração silenciosa, que na verdade era o jeito de dona Aparecida não aborrecer ninguém e garantir para si mesma menos aborrecimentos. No dia do flagrante delito do filho adolescente — Abel devia ter por volta de treze anos —, Custódia reagiu falando sem parar sobre seu desapontamento, como se aquilo pudesse desmanchar a imagem que lhe veio à mente do filho se esbaldando. Terrível! Contava com o silêncio de dona Aparecida e com quantidades redobradas de sabão na nojeira. Tratou a mancha de Abel como se fosse a mancha que Deus pôs na testa de Caim, prova de um crime, de um desvio de conduta sem volta, e chorou. Chorou pelo menino para sempre perdido. Tanto dramatizou que, a uma certa altura, dona Aparecida não aguentou e reagiu:

— Uai, dona Custódia, a senhora deveria é agradecer a Deus por ter um filho normal. É sinal de que o menino funciona, não nasceu estragado.

Na hora, Custódia achou um desaforo, considerou mandar dona Aparecida ir soltar a voz em outra freguesia, mas lembrando-se de que ela era mãe de sete rapazes, progenitora de infinitas ejaculações, bombardeou a lavadeira com intermináveis perguntas. Acabou aceitando, com alguma complacência, que a coisa desagradável poderia ser tolerada, desde que fosse sem querer. Que a polução se desse debaixo do teto de sua casa no sentido medicinal, que a define como ejaculação involuntária, podia até aceitar, mas que não aparecesse por lá no sentido figurado que é a perda de dignidade, desonra, profanação, bem resumidas num sonoro: sem-vergonhice.

As sequelas da devassidão ficariam rodeando Abel para o resto da vida na forma de pequenas implicâncias da mãe. Desprezos gratuitos que, com o tempo, Custódia não se lembraria mais de onde vinham, mas nem por isso deixariam de existir. Ali, no frescor dos acontecimentos, lá do jeito dela, Custódia tratou de amarrar chumbo na mão dos meninos, com intensa pregação, pesando neles as alegrias que pudessem se liquefazer nos corpos assanhados.

Mas a exuberância de um relevo exige que se olhe para ele. Quer Custódia quisesse, quer não, é da natureza do relevo não passar despercebido. Quase fim de noite, quase começo de dia, a evidência do desejo estava lá na saliência entre as pernas de Abel. O sangue aceso no rastilho. O pênis rijo, o pau duro, o falo ereto, o caralho dos infernos! Quantos nomes Abel sequer tinha na ponta da língua, língua de vitelo, tão tenra quando aquilo tudo começou. E como, mesmo assim, sua boca se enchia de saliva querendo brincar com a carne estufada. O que é do bicho o homem não come. Como Abel poderia adivinhar todos aqueles nomes, se as palavras indecentes não haviam ainda tocado seus ouvidos, nem apimentado suas entranhas? Quem dividira com ele as revistas de mulheres peladas? Quem falara dos cheiros, dos mamilos entumecidos, da glande sensível? Quem confessara mentiras excitantes como se as tivesse vivido? Quem revelara que o destino do homem é se assanhar com buracos? Quem ousara verbos como lamber, chupar, meter, gozar diante dele? Porque era assim, e só assim, entre amigos, que a teoria fazia a prática avançar. O pouco que se sabia naqueles tempos era adquirido em confrarias. Juntavam-se um saber daqui, outro dali, misturando verdades e mentiras. Aprendiam o que surrupiavam ao bisbilhotar: páginas arrancadas de revistas, ouvidos atrás de portas, o que pais mais esclarecidos esclareciam, o que os primos mais velhos esnobavam, o exemplo dos bichos, a competição de punhetas, os troca-trocas e, mais tarde, o auxílio das putas. Era assim que o sexo penetrava na vida dos rapazes.

Mas Abel não tinha amigos. Não teve intimidade com essas trocas. Ainda assim, seu corpo sabia aonde queria ir. Nada podia detê-lo. E o corpo estufou, ignorante, o pijama. Abel acordava com o relevo entre as pernas. O pico na paisagem entediada. Gritos de me dê, me tire, me dê, me tire vindos das profundidades. Aprendeu a buscar alívio antes de buscar prazer. A mão repetitiva, indo e vindo, a pélvis se apertando no travesseiro até o jorro irrefreável desarmar as fibras. Assim se deu o começo e depois veio a linha divisória, riscada na alma de Abel, que separou o antes e o depois: a breve e intensa convivência com Paulo Parede e Caim antes da queda.

Naqueles poucos dias em que Abel se abriu para o convívio, graças ao coração abrandado pela gratidão a Paulo Parede, que o defendera do Imensa, ou talvez pela aparição de seu anjo, Veneza, que o salvara, todo mijado, da vontade de morrer, deu-se a imersão no assunto picante: sexo. Até aquele momento, ele era um medíocre autodidata. Como ouvinte atento, passou a testemunhar as conversas livres, assustadoramente íntimas, o material didático precário e explícito, as revistas surradas pelo manuseio, as palavras chulas incontinentes, as intimidades escancaradas e as garotas por perto, desejosas de carne e osso, criando um campo magnético ao redor de tudo. Abel presenciou toda aquela excitação, tímido, enrubescendo com bucetas e cus, e com um insuspeito e sagrado treino em amanhecer com mãos à obra. Àquela altura, passou a levar Veneza para debaixo das cobertas com ele, seu anjo, subitamente indecente, a testemunhar o alívio dando lugar à lascívia.

E assim, passado o tempo, não a dedicação, veio o almoço de formatura de Caim, e a primeira noite depois dele, seguida de um avermelhado amanhecer. No silêncio da casa adormecida, Abel apertou uma coxa contra a outra e sentiu o sangue se espalhar. Voraz. A capilaridade das veias contaminou tudo rapidamente com as emoções do dia anterior. Abel se apertou e se apertou novamente, o coração veio pulsar entre suas pernas num intenso latejo. A mão envolveu o pau excitado como o abraço aconchega o corpo com frio. Cobriu ao máximo a extensão da pele exposta. Firme. Deslizou, lenta e segura, depois de espalhar o óleo que gotejou, num arrepio, uma pequena amostra do que estava por vir. A ida e a volta da mão em ondas, um pouco mais de presença a cada esforço, um pouco mais de vontade, um pouco mais de poder. A mão que o tomava não era mais dele, era dela. Os olhos escuros e acesos como os fixara ao abrir a porta, a boca rosa que a língua acabara de molhar e que alagava tudo nele, o peito subindo e descendo sob o tecido leve, mais perto a cada respiração. Abel rasgou o vestido na alça fina e descobriu os seios de Veneza, lambeu com a língua molhada o pêssego doce, até a castanha entumecida dos mamilos. Mil choques em seu corpo possuído. A pele macia de Veneza que, na solidão do quarto, os olhos de Abel podiam vasculhar com gula, não era mais só a imaginação distante e fugidia com que se contentara até então. Agora, ele podia adivinhar o hálito dela: estiveram perto demais poucas horas antes.

Podia reconhecer a força da voz que implorava: entre. Entre. E Abel entrou em Veneza enquanto escorriam entre seus dedos milhões de partículas elétricas.

Mal se entregou àquela morte, ouviu o reco-reco da máquina de Custódia empurrá-lo para a realidade: no quarto ao lado estava Caim. E ele também pensava em Veneza.

Para que um sujeito como Caim conclua que a melhor coisa que fez na vida foi não pensar, é preciso um grande sentimento. Um daqueles que empurra o corpo para um beco que não oferece como saída voltar atrás. Segue-se com as pernas bambas e o coração aos pinotes. Às vezes os becos mais temidos desembocam em lugares adoráveis, que mais adoráveis se tornam justamente por serem avistados ao final de um atormentado percurso. Ao amanhecer, no dia seguinte a seu almoço de formatura, Caim quis gritar: viva os impetuosos, os impulsivos de coração! Frase surpreendente na boca de um futuro matemático.

Muito antes daquele dia, ao entrar no ônibus que o levaria até o Rio de Janeiro para o encontro dos jovens matemáticos, Caim, num ímpeto, sentou-se ao lado de Veneza. Quando se deu conta, lá estava ele, ocupando o lugar que parecia esperar por Vedina, a amiga inseparável. Fora uma atitude arrebatada e explícita demais se comparada ao desempenho canhestro dos últimos meses. Não levou mais que um segundo para se arrepender. O que diria nos próximos 441 quilômetros? Conhecia a sensação de perder as palavras ao lado de Veneza, mas nunca assim, com tanto tempo para não achá-las.

A primeira vez que Veneza entrou na sala da jardinagem, tinha os cabelos enrolados no alto da cabeça e presos com um lápis de um jeito improvisado, escapando apenas a franja, curta demais para ser presa. Abraçava um caderno de capa cor de cereja, e vestia uma blusa solta, listrada de preto e branco. Parecia confortável o suficiente para ficar em casa e ao mesmo tempo autorizada a estar ali, ou em qualquer outro lugar. Encantadora. Chegou se desculpando pelo atraso, com gestos pequenos.

Ao vê-la, Caim se ajeitou na cadeira em um movimento reflexo. Seria assim todas as vezes que ela chegasse nos lugares onde ele estava. O ar se deslocaria ao redor dele a ponto de fazer Caim notar, muito rapidamente, que ver aquela menina era diferente de ver todas as outras. Os olhos de Caim eram arrastados na direção de Veneza e, incapazes de se sustentar, voltavam rapidamente a uma fingida concentração, enquanto na verdade todo o seu campo de visão e seus pontos cegos, 360 graus, eram invadidos pela presença dela. E quando ela pousava os olhos em sua nuca, queimava. Ele podia sentir a temperatura acusando a inflamação. Veneza tinha consequências. Quer fosse a ponta do lápis que ele segurava ir parar na boca, ou a mão buscar os cabelos como um tique nervoso, ou um pequeno sopro libertar com mais pressão o ar dos pulmões, ou até mesmo um cálculo simples ficar dando piruetas em sua cabeça, sem encontrar resposta, algum movimento ela precipitava nele. Caim sentiu a afetação como um domínio desconhecido. Perigoso. E a decisão foi tomada com pretensa racionalidade, e a mais absoluta ingenuidade: manteria uma distância segura. Via-se que nunca tinha amado antes.

Veneza, por sua vez, começou a gostar de Caim como quem aprende a gostar de *wasabi*. As primeiras experiências são perturbadoras. Não se pode dizer mais do que isso! Não se trata de ser bom ou ruim, gostar ou não gostar: é a impossibilidade da indiferença que se estabelece de imediato. E depois vem a velocidade do salto. De repente, nota-se que nada mais tem graça sem ele.

No meio desse sentir ainda sem nome, sem testemunhas, tudo às escondidas dentro de cada um, Caim e Veneza foram se ajustando, desajeitados, à convivência do grupo, cada dia mais estreita. Ficavam à vontade no meio de todos, mas entre eles havia uma distância encabulada, a que separa a amizade do amor.

Os cinco jardineiros ficaram amigos. Além das duas tardes por semana, passaram a se encontrar também no intervalo das aulas matinais. Só Caim e Antero eram da mesma turma, os outros eram de turmas diferentes, mas escapuliam para a sala de jardinagem durante as manhãs, sempre que estavam liberados das aulas. Não demorou até que os finais de semana se tornassem longos demais para não se verem. Combinavam de sair, ir ao cinema, pizzarias, jogar baralho ou resolver um desafio lógico que algum deles decretava sem solução.

Enquanto Veneza ocupava a fantasia dos três rapazes, em maior ou menor grau, Vedina colhia a realidade. No caso de Caim, por exemplo, quanto mais ele se interessava por Veneza, mais se mostrava inteligente e irresistível para Vedina. Contracenava com ela, imaginando ser observado pela amiga, a quem verdadeiramente queria impressionar. A distância segura de Veneza, que imaginou poder se impor, nada segura para Vedina, no caso, era o teatro da inexperiência amorosa. Não fossem as provocações de Bruno Jardim tão envolventes e os problemas matemáticos com seus tentáculos de planta carnívora, Caim teria se tornado um daqueles sujeitos que ama e fede, porque mal consegue tomar banho.

Ao longo daquele ano, ele testemunhou, perplexo, o quanto sua capacidade de pensar não oferecia imunidade àquilo que sentia. Seus sentimentos tinham a liberdade do desconhecido. Imprevisíveis. A lógica não se dá bem com a falta de lógica. Uma vez pensou em dividir com Abel aquele tumulto. Saber o que o irmão faria, contar da sensação no peito que não era capaz de definir, do pensamento insistente, dos olhos de Veneza queimando sua nuca. Falar, embaraçado, de como agia ao contrário do que desejava, como se não desse importância ao que importava, mas se lembrou das caras que Abel fazia na sala de dona Graciema, todas as vezes que, ao lado de Paulo Parede, ele se virava para trás para olhá-lo. Lembrou-se da face impávida do irmão, vendo o pai bater injustamente nele, por uma bagunça que fora ele, Abel, quem fizera. Desistiu. Perdera a intimidade e já não tinha mais certeza de querer encontrá-la.

O que mais perturbava Caim era não se reconhecer nas garras daquele sentimento. Tornou-se uma presa atordoada. Nunca tinha se deixado inibir pelo desconhecido. Nunca teve medo dos movimentos do corpo. Sempre se aproximou e se afastou das pessoas ao simples comando de sua própria vontade. Não era um ingênuo. Ah, isso ele não era. Tomava a frente com outras garotas, exercitara as boas práticas da sedução e as delícias da sacanagem. Considerava-se até bem sabido. E tinha seus talentos. Era um feioso irresistível, provocava paixões. O que era aquilo, então, que o inibia, que o desconcertava daquela maneira? Do que tinha medo? Por que não se atrevia?

Apenas uma vez, chegou perto... Experimentou uma fugaz entrega. Um segundo em que não tentou ocupar o papel principal. Não se inventou. Apenas pôs-se atento. Deixou que seus olhos se acalmassem. Sem se proteger, sentiu-se doce e forte diante de Veneza. Foi invadido por uma súbita capacidade de aceitar as consequências. O coração ganhou ritmo e Caim não quis detê-lo. Cálido, exposto, viu com precisão — surpreso de que houvesse precisão em algo impossível de ser medido —, viu que em Veneza também havia o desejo de se demorar naquele segundo. Um calor percorreu seu corpo. Estava apaixonado. Havia encontrado a palavra.

Era uma quinta-feira. Professor Bruno preparara uma espécie de simulado para treiná-los na metodologia do encontro de matemáticos que aconteceria dentro de um mês. Na primeira parte da tarde, resolveram um problema em grupo. Depois, passaram para a etapa individual. Veneza foi a primeira a acabar. Isso teve o impacto de uma hecatombe sobre os rapazes, acostumados a serem os primeiríssimos. Os três se inquietaram com a larga vantagem do inimigo. Mesmo tendo o inimigo uma boca absolutamente beijável, e talvez principalmente por isso. A competição é o primeiro amor dos homens! Caim, desafiado, catalisou-se e foi o segundo a terminar, de maneira que, ao sair de sala, Veneza estava lá, no corredor, debruçada sobre o guarda-corpo gradeado, olhando para o grande pátio central. Havia um acordo entre o grupo, de ficarem esperando uns pelos outros até que todos terminassem. Depois, costumavam sair juntos e passavam boa parte da noite discutindo as respectivas epopeias na busca do caminho mais inteligente para a única e inquestionável resposta: a certa.

Mal Caim se aproximou, Veneza se ajeitou no corpo e, como um gesto de defesa, disse:

– 3,5 centímetros.

– Exatamente. Você fez por Menelaus ou por Ceva?

– Ceva.

– Eu também.

Pronto. Acabava ali o assunto, capaz de desviá-los do que evitavam. Um diante do outro, os corpos em alerta recendendo as pistas, a reciprocidade prestes a se consumar. O desejo seduzindo a coragem de se expor, enquanto a engrenagem se mantinha travada por um cisco. Sabe-se lá a origem remota dos ciscos. Talvez a história de amor malsucedida dos pais, a insegurança dos corpos inexperientes, os amigos prontos para sacanearem a qualquer sinal de fraqueza... e as neuroses pegas no ar ao se chegar ao mundo. O primeiro amor é uma luta insegura. E se não passar de um delírio? Invenção de uma mente imersa em hormônios? Com que cara a vida continua?

Caim e Veneza nunca tinham ficado sozinhos, não assim, por tempo indeterminado. Era um fim de tarde de outubro, a luz baixa criava uma atmosfera dourada no corredor, as cores encarnadas favoreciam todos os ângulos. Os cabelos castanhos de Veneza soltavam um leve vapor acobreado. Caim se encostou no guarda-corpo ao lado dela, mas tendo, ao contrário de Veneza, seu corpo voltado para dentro do prédio. Estavam tão perto, se tombassem um na direção do outro se encaixariam.

Caim entrelaçou as mãos na frente da boca e começou a soprar no côncavo das palmas unidas, produzindo um som estacado, um toque de fuga. Veneza reconheceu a estratégia: dissimulação. Olhou Caim enquanto ele fingia se concentrar no som que produzia. Deu a ele a chance de corresponder. Mas Caim fez o que sempre fazia. Aquele dia, Veneza não estava disponível para indiferenças. Então, sem dizer nada, começou a andar na direção da escada. Caim, imediatamente, interrompeu sua performance de percussionista e seguiu Veneza com olhos desapontados. Poucos passos depois, ela se virou para ele e, sem parar de andar, caminhando de costas, pôde colher a verdade, que ele, pego de surpresa, não conseguiu evitar: olhos indefesos derramados nela.

— Quer vir comigo? — perguntou ela, como uma mulher.

Caim soltou as mãos uma da outra, e foi como um menino que acaba de ter o esconderijo deflagrado.

Iria com Veneza aonde ela quisesse ir. Apertou o passo para alcançá-la. Cruzaram com alguns garotos do turno da tarde já no primeiro andar. Começaram a atravessar a quadra de basquete no centro do átrio, o mesmo onde Caim, quando pequeno, ainda de mão dadas com Abel, vislumbrara que viveria coisas incríveis. Em poucos metros, estariam fora da escola. Foi tomado de urgência. Veneza olhou para ele e Caim sentiu-se um homem. Ela diminuiu o passo, ele também. Foi aí que se deu o tal segundo em que os dois souberam que se beijariam ao atravessar a porta da escola. E que, depois do beijo, viriam todas as outras coisas que um beijo principia. Mas, neste momento, ouviram os gritos:

– Esperem, esperem! – Era Lourenço correndo na direção dos dois, quase sem fôlego. Atravessou a quadra e parou diante deles, pondo as mãos na coxa para se recuperar da carreira:

– 2,5 centímetros, teorema de Menelaus, certo? – perguntou esbaforido.

– Não, 3,5 por Ceva – responderam ao mesmo tempo Caim e Veneza.

– Sério? Vocês se deram muito mal, era só traçar uma reta, os três pontos são colineares... Vocês erraram feio: escolheram um italiano em vez de um grego. Geometria é território grego! Aonde pensam que vão, seus aleivosos de uma figa?

– Comprar água – respondeu Veneza, dominando a impaciência.

Loureço não pestanejou, sentiu-se convidado a ir com eles. Foi matraqueando a defesa do Teorema de Menelaus, e seus gregos séculos de reputação, sem tempo de ver que Caim e Veneza não estavam interessados. A interrupção avacalhou a noite. Os restos da excitação abortada foram indigestos. Caim e Veneza ficaram dispersos, suspensos, presos a uma impressão intensa, mas fugidia. Não estavam no mesmo lugar de antes, sabiam, e esse pensamento, às vezes, descia acelerado na espinha dorsal dos dois. Uma confissão acontecera, nítida, mas sujeita a confirmações verbais, antes da qual tudo permanece esparramado. Foram dormir convencidos de que poderiam prosseguir de onde haviam parado. Mas, ao se encontrarem na escola na manhã seguinte, Veneza na fila da cantina, Caim procurando por ela, veio a constatação: lá estava entre eles, mais forte do que nunca, a necessidade de desviar o olhar.

Naquele último mês, antes da viagem para o Rio de Janeiro, o retrocesso se tornou quase um ressentimento. Ser desejado sem pressa ofende. Eram, pois, dois ofendidos. Caim se dedicou à matemática, como um viciado, e Veneza se fechou estranhamente. Longe dos olhos dela, a nuca de Caim parou de esquentar, tornou-se apenas uma miserável nuca insatisfeita, e a distância entre os dois pesou como um amor que escapa.

Até o dia em que Caim, sem pensar, sentou-se ao lado de Veneza, no ônibus que iria para o Rio de Janeiro. Só mesmo um poderoso recuo propulsiona tamanho impulso, como o da flecha ao ser puxada para trás antes de ser solta, ou o do salto que requer uma obrigatória tomada de distância. Caim lançou seu corpo naquela poltrona marrom sem cálculo, sem margens, sem texto, sem poder voltar atrás. Apenas sentou-se. Em seguida, arrependeu-se, mas não o suficiente para se levantar.

Vedina, ao entrar no ônibus depois de supervisionar o embarque de sua bagagem, parou por alguns segundos ao lado dos dois, requisitando o assento que deveria ser dela e esperando que Veneza ajudasse a expulsar o invasor. Mas nada aconteceu e, como atrás vinha gente querendo passar, Vedina foi se sentar três cadeiras depois, ao lado de Antero. Foi contrariada com a omissão da amiga e com a atitude inesperada de Caim. E, sobretudo, com a nitidez do que imediatamente antecipou: os dois.

Há sempre um sentimento de que é obrigatório dormir, o mais rápido possível, ao se embarcar em um ônibus leito. Naquela época, mais ainda, porque ônibus leito era um artigo raro e caro, não deveria ser desperdiçado com insônias. Apagadas as luzes, depois que todos se acomodavam, seguia-se um silêncio de estrada. O som das velocidades, das mudanças de marcha, a dança das ultrapassagens, os carros e seus faróis se cruzando, todo esse balé ruidoso não impedia a atmosfera silenciosa de um ônibus leito. No caso da viagem dos jardineiros para o Rio de Janeiro, só a voz incansável de Lourenço murmurava um mantra insistente, vindo lá das primeiras cadeiras, misturado ao barulho do motor. De tempos em tempos, podia-se ouvir uma palavra empoeirada se sobressair a todas as outras. Essas palavras, garimpadas no dicionário por Lourenço, nunca eram emitidas em um tom natural, sempre recebiam um certo grifo sonoro. O pobre professor Bruno Jardim, sentado ao lado dele, sentiu-se um completo azarado, tantos quilômetros para se entregar aos próprios pensamentos e... fazer o quê? Paciência.

Para Caim e Veneza, estar um ao lado do outro provocava um estado máximo de alerta, todas as fibras indecisas. Tudo dependeria do primeiro gesto. O peso do dedo que empurra o dominó: ou faz bonito ou avacalha tudo. Os sentimentos ficaram espessos no silêncio que desapareceu, no escuro que desapareceu, na rajada de luz dos faróis pelo caminho que desapareceu. Só os dois permaneceram. Outro ar circulando entre eles, outra textura. O apoio de braço, que separava a poltrona dos dois, seguiu desocupado. Não se atreviam à fagulha de uma pele tocar na outra. Não dizer nada era a mais perturbadora confissão. Mas ninguém abriria a boca sem uma miserável garantia. Era preciso aceitar a noite, deixar Lourenço terminar sua história comprida, deixar que todos ao redor dormissem para que restasse acordado só o peito palpitante, tão apertado, mas tão apertado, que empurraria pela boca um começo de conversa. Estavam, os dois, atentos. Mais do que isso, estavam se esforçando por um gatilho, um impulso que desobstruísse a garganta e desencadeasse um desenlace qualquer.

E assim, depois do que parecia já uma longa viagem, o ônibus reduziu a marcha e, ao passar por um pequeno vilarejo, alguns poucos postes espaçados entre si jogaram pela janela, de metros em metros, uma nesga de luz retangular que enquadrou Caim e

Veneza em um flagrante: um olhava para o outro. Foi rápido e veio em seguida o escuro, depois outro poste, depois o escuro, depois o olhar que eles não mais se negaram, depois o escuro, depois o brilho que crescia neles, depois o escuro, depois a boca entreaberta de Veneza cheia de carne rosada, depois o escuro. E quando a luz veio novamente, estavam já tão perto, tão certos, que se beijaram. E depois do primeiro beijo, veio outro e outros e tantos outros que nenhuma palavra teve a chance de escapar das bocas coladas. Ofereceram-se e contorceram-se por quilômetros. Não havia monotonia no apalpar das línguas em estreia, ao contrário, inventaram muitas manobras. E as mãos tocaram os cabelos, e depois tocaram o corpo e o desejo foi levando os dois para bem longe das frases. Nenhuma palavra havia sido dita quando o motorista parou o ônibus e anunciou:

— Primeira parada, quinze minutos.

Caim e Veneza se recompuseram. Ajeitaram-se na cadeira arrancados de uma embalada intimidade, e a pequena distância que se fez entre eles foi logo invadida pela insegurança. Pensavam já em como retomar o que interrompiam. Os passageiros começaram a se movimentar com uma praticidade sonolenta. Antero e Vedina se aproximaram e, gentis, deram passagem para que Caim e Veneza tomassem o corredor e fossem com eles, sem considerar que os dois preferiam nunca mais sair daquele ônibus.

Foram todos de encontro aos banheiros irrespiráveis. A fila do caixa estava repleta de caras amassadas e bocejos deselegantemente explícitos. Depois de enfrentá-la, era preciso travar uma luta por um espaço no balcão e pela atenção dos atendentes que, tomados pelo único poder que tinham na vida, escolhiam a quem servir e em quem se vingar, castigando os azarados com demoras de perder o ônibus. Tanta batalha para conquistar um misto-quente feito com margarina e presunto cortado grosso, endereçado a um estômago metade embrulhado pela madrugada, metade pelo cheiro das bombas de gasolina. Ainda assim, havia nos jardineiros o orgulho de estar ali buscando a recompensa de um ano de estudo, a convicção de serem acima da média nivelando os narizes com o horizonte, e a indisfarçável sensação de uma vida pela frente que compensava em brio a precariedade do cenário.

Caim e Veneza, no meio disso tudo, respiravam alheios, disfarçaram-se de viajantes entediados, mal se olharam, empenhados em ocultar os pequenos choques que sentiam ao pensar que, em poucos minutos, a estrada estaria de volta.

Mas, ao retornarem para o ônibus, Vedina sentou-se ao lado de Veneza. Sentou-se magoada. Caim reclamou a poltrona, mas ela ignorou, exatamente como ele fizera. Veneza teve ímpetos de reagir, queria continuar o que interromperam, mas não ousou. Uma vibração estranha imantou os três e as palavras de cada um pulsaram misturadas: culpa, desejo, traição, todas tonificadas pela juventude, que só mais tarde na vida, nos damos conta de se tratar de uma exagerada. O restante da viagem, para Veneza e Caim, foi reverberar no corpo a memória prazerosa das vertigens. Para Vedina, foi uma velha e conhecida falta de vertigem.

12

Vedina senta-se na cama e calça o tênis de caminhar.

A culpa aumenta por querer aliviar a dor dos pés, enquanto Augusto... Deus sabe que dor sem alívio estará sentindo o filho que viu a mãe se afastar. Ainda assim, Vedina sente-se mais segura de tênis, como se pudesse empurrar o chão e saltar. Sente-se mais estúpida também.

Estava de tênis na única vez em que pisou na Pregos & Etecetera. O tênis branco contra o piso de ladrilho hidráulico marrom, verde e bege, que dava ao corredor estreito, lotado de quinquilharias, um jeito de passado. Abel, lá no fundo, recebia o dinheiro de um cliente. Viu quando ela entrou: os olhos boiaram na direção dela e rodopiaram de volta para as moedas que contava. Vedina tomou como uma declaração de afeto a perturbação que desencadeou nele. Tomou, também, seu primeiro gole de equívoco.

Quando o cliente se foi, restaram os dois e nada a dizer. Foi ela quem caminhou até ele, depois de esperar, constrangida, que ele se dirigisse a ela. Foi ela quem puxou conversa e viu a conversa minguar na boca monossilábica dele. Foi ela quem pegou, sobre o balcão, um pedaço de papel cru e escreveu nele seu telefone, mesmo ele tendo, dias antes, numa festa em que se encontraram, se jogado em cima dela sem consentimento, sem limites, indo embora, logo depois, sem olhar para trás. Foi ela quem ignorou os sinais violentos. Mas foi ele, ele, ele quem ligou.

O telefone toca, o coração de Vedina dispara: é Veneza.

7

"Deixa-me atravessar e ver
a boa terra do outro lado."

— Tudo aqui está à espera de ser fotografado — disse Bruno Jardim, cercado pelos jardineiros, olhando para um ângulo qualquer do Rio de Janeiro.

Veneza era a única que já conhecia a cidade, todos os outros estavam vivendo o primeiro deslumbramento. Era domingo de manhã, dia livre para explorar as paisagens cariocas, à noite eles voltariam para Minas levando ouro.

— Reparem, daqui pode-se demonstrar que Deus é mesmo uma esfera cujo centro está em todas as coisas e a circunferência em nenhuma. Nada pode limitá-lo — continuou Bruno Jardim, inspirado. — Que geometria! A linha do horizonte parece feita à régua. E a superfície do mar é um plano perfeito... Aquele meu livro de geometria elementar quase aos pedaços, que vocês conhecem bem (soube até que o apelidaram de "paninho de chão"), pois bem, ele define um plano como uma superfície que tem o aspecto de uma pequena extensão de água tranquila, e que divide o espaço em duas regiões adjacentes, sendo ele a fronteira entre elas. O mar é esse plano-fronteira entre o voo e o mergulho. Entre o revelado e o oculto.

Entre a coragem e o medo. Um plano espetacular! Já os volumes... Tive um professor carioca, muito espirituoso, que dizia que ao fazer o Rio de Janeiro, Deus deu o compasso aos sambistas e desenhou os morros à mão. O que mais me impressiona, vejam vocês, são estes sólidos cuidadosamente arranjados no espaço, essas curvas transcendentais, parabólicas, esses côncavos virados para baixo, cheios de rocha poética... Deve haver uma equação algébrica que os desenhem como a mão livre os fez. O Rio, senhores, é o altar da geometria divina.

As palavras de Bruno Jardim, para os ansiosos em aproveitar o último dia, soaram derramadas demais, mas Caim adorou ouvi-las. Ele seria um matemático, sofria do mesmo encantamento com os números da natureza, a mesma atração pela equação invisível da harmonia. No dia anterior, depois do fechamento das atividades do encontro de matemáticos, muitos estudantes, de diferentes lugares do Brasil, que se entrosaram ao longo da competição, foram caminhar na orla. No caminho, ao se deparar com o morro Dois Irmãos, Caim diminuiu o passo. Dois irmãos, um ao lado do outro... Sentiu uma nostalgia, quase uma dor. Do ângulo em que os avistava, um irmão era mais ereto, seu vértice tocava o céu no encontro de suas curvas simétricas. O outro irmão pareceu-lhe um dente torto. Não teve dúvidas de qual irmão ele era e se incomodou com esse pensamento que considerou arrogante. Desde quando as coisas assimétricas têm menos valor? A suave desordem, por vezes, não cativa mais do que a demasiada precisão? O que o comovera, diante dos Dois Irmãos, não era justamente a harmonia de estarem juntos mesmo sendo diferentes? Não residia aí toda a beleza que o encheu de nostalgia?

Veneza também diminuiu o passo para andar ao lado de Caim. Até aquele momento, os dois não tinham ficado sozinhos novamente. Caim teve vontade de dizer muitas coisas a ela. E também teve coragem. Contou do pai, da mãe e de Abel. E havia em sua voz um tremor de quem reúne sentimentos que viviam espalhados. O que uma paisagem não é capaz de fazer! Andar diante daquela natureza radiante abriu a alma de Caim, não para que a beleza entrasse, mas para que ela saísse. Em Minas, o mar de montanhas se avolumava dentro dele como perguntas que não podem ser respondidas e deixam de ser feitas, mas continuam ali, presas em um edema. O que estaria se passando atrás da primeira montanha? E da segunda? E de toda a cadeia? O que teria se passado nas suas costas ao virá-las para Paulo Parede e Abel? A paisagem, onde se nasce e vive, infiltra-se nos gestos como os ecos da fé e o cambalear dos bêbados... Porque, no fundo, um lugar é feito de todas essas coisas... E a desconfiança, em Caim, tornou-se um jeito radical de só confiar no que podia ver... Talvez, por isso, ali, em frente ao mar escancarado, o horizonte de braços tão abertos e desarmados... Caim não tenha tido medo de se entregar. Confiou.

Veneza também falou de si, e falou de coisas que nunca havia falado. De sua mãe que foi embora quando ela era pequena, porque apaixonou-se por um músico e por um jeito de viver. Achou que tinha esse direito. "Queria ser feliz", dizia seu pai, com uma entonação de "quanto egoísmo". Ele sofreu muito. E avisou que se ela fosse mesmo embora, que levasse os dois pés, porque ele não toleraria um pé lá, outro cá. Não ia ter férias juntos, presentinho de Natal, vestidos de boneca nos aniversários. "Nada desses afetozinhos", dissera ele, e foi o máximo de agressividade que conseguiu arrancar de seu temperamento dócil. Nunca escondeu de Veneza sua dor, conversava com a filha, ainda tão pequena, como se ela fosse capaz de compreender o sofrimento de um homem pronto para perdoar. Queria humilhantemente sua mulher de volta. Sua honra não precisava ser lavada, precisava de alegria.

— Meu pai sentiu muita raiva de minha mãe e queria que ela não fosse mais minha se não pudesse ser dele. Queria cancelar os direitos dela. Mas minha mãe é uma mulher com coragem de viver um grande amor, não é do tipo que obedece. Quando tinha saudade, vinha me ver. Não aceitava o tudo ou nada que meu pai queria impor. Vinha trazendo presentes, fazendo mil programas alegres comigo... sem sentir culpa. O aperto no coração do meu pai aumentava, eu via, mas ele não explodia nunca. Não sabia explodir. Muito educado. E acho também que, no meio de tudo, ele só pensava em mim. E eu tentava pensar nele e mandar minha mãe não aparecer mais, mas eu não tentava direito, porque gostava quando ela vinha. E até hoje é assim.

– Quantos anos você tinha quando ela foi embora?

– Sete.

– Onde ela mora, agora?

– Aqui.

– Aqui no Rio?

– É.

– E você não quer encontrar com ela?

– Não, não quero.

– É muito estranho uma mãe... sei lá, ir embora.

– Todo mundo acha "estranho", parece que só os pais podem ir embora!

– Ah... Ninguém pode ir embora, se você teve um filho.

– Mesmo que esteja infeliz?

– Ficar infeliz dá o direito de abandonar um filho?

– Ela não me abandonou, Caim. E também não desapareceu. Ela me deixou com meu pai. E ele foi ótimo, deu tudo certo.

– Desculpe, Veneza, eu não queria...

– Está tudo bem.

– Mas, então, por que você não quer se encontrar com ela?

– Ah... Sei lá... Eu prefiro estar aqui... com você.

Estar aqui, pensou Caim, comigo. E sentiu vontade de beijar Veneza. Nesse momento, os dois caminhavam muito perto um do outro, os passos lentos, as mãos se esbarrando de leve, os amigos bem à frente, animados e barulhentos, despedindo-se não só do encontro de matemáticos, mas de uma fase da vida. Agora, viria a universidade. Caim e Veneza não imaginavam que se casariam e teriam uma filha e que a delicada intimidade que experimentavam naquele momento, como se fosse um beijo em uma outra língua, molhada de palavras, os faria desejar o resto da vida juntos. Não podiam imaginar também que, muito mais tarde, de todas as coisas que amavam um no outro, justamente as palavras fariam mais falta.

Os dois voltaram do Rio de Janeiro namorando e mantiveram-se discretos na frente dos amigos. Veneza queria, antes, conversar com Vedina. Só no dia do almoço de formatura de Caim, os dois assumiram que estavam apaixonados. E é claro: ninguém se surpreendeu.

13

O telefone toca, o coração de Vedina dispara: é Veneza.

Entre um toque e outro, um estouro de lembranças desgovernadas passa por cima dela. Mesmo sendo urgente atender... ela se entrega ao afogamento.

Seria a cama vazia de Abel a hora exata em que abandonar Augusto começou? Não teria sido a cadeira ocupada por Caim, na viagem para o Rio, o verdadeiro prelúdio? O antes do antes, a hora crucial? Quando Vedina soube, com a clareza de uma vidente ou com o cálculo preciso de um matemático, no que um sentado ao lado do outro, em tão longa viagem, resultaria? Não foi essa a hora em que começou a abandonar Augusto?

Mãe, por que me abandonastes? A pergunta crepuscular, que sempre esteve com Vedina, agora estará também no coração de Augusto. Há dor pior do que ser rejeitado?

Na volta da viagem ao Rio, Veneza veio, com palavras sólidas e polidas, dizer que ela e Caim estavam juntos. "Estamos namorando!", foi o que disse com exclamação no fim. Vedina viu confirmada a intuição. Ainda assim, engoliu uma saliva espessa. A confirmação de uma suspeita é sempre um excesso de realidade.

E o que ela dissera a Veneza em confiança, dias antes? Não valia nada? A honestidade acaso vale mais do que a lealdade? Basta dizer a verdade para que se possa confessar de cabeça erguida uma traição, tornando-a menos traição? E as confidências, tão adiadas, feitas à melhor amiga, sem reservas, sem rede de proteção, sobre como Caim olhava no fundo dos seus olhos, e brincava, e sorria, e a puxava para si, e como ela sentia alguma coisa entre eles prestes a acontecer? Fez papel de boba! Fora traída.

Vedina estala os dedos, tenta pensar em Augusto, agir por Augusto... Mas traição é palavra funda demais, e ela não consegue interromper seus pensamentos. O que fora traído? Alguma vez, acaso, Caim dissera alguma mínima coisa sobre desejá-la?

O telefone insiste, treme em suas mãos. Ainda bem que insiste e treme. Nada importa, só Augusto importa. Tudo é passado. Meu Deus, só Augusto importa.

Vedina atende:

"Oi, Veneza."

6

O que treme a carne
não é a morte.

Cada um no seu quarto. Uma parede fina e fria separava as camas de Caim e Abel. Onde Caim se deitava com a realidade de um amor e Abel com a obsessão. A separação dos quartos nada podia diante de um olhar no café da manhã. A privacidade, direito inalienável do que não se deseja confessar, não tem poderes de tornar o que grita invisível. E se, por um lado, pode esconder fatos, por outro, não pode dominar seus vapores. Eles efluem no ar e são respirados. Possuir em pensamento a mulher do irmão, todas as manhãs, não é alguma coisa que se confesse, mas também não se pode trancar no quarto. O que não era dito era transformado em um campo de força entre eles, encoberto por uma camada de normalidade: pão com manteiga, leite com café e palavras corriqueiras.

A vida atarefada de Caim, cursando matemática, e Veneza, arquitetura, fazia com que os dois fossem pouco vistos na casa de Custódia e Antunes. Eram muitas aulas, muito tempo na universidade, e eles preferiam se encontrar na casa de Veneza, que tinha um quarto, que tinha uma porta, que tinha uma chave.

Não que o pai de Veneza, Miguel, fosse indiferente ao que acontecia com a filha. Não era. Tinha suas preocupações em relação à sexualidade dela, mas não havia um peso religioso, ou qualquer desassossego moral. Era um homem esclarecido, moças e rapazes vão se enganchar quer seus pais queiram, quer não. Cabe aos pais decidirem se querem ser enganados! Miguel não queria. Preocupava-se com gravidez indesejada e com decepções amorosas que fizessem a filha sofrer. Quando percebeu que o namoro já ia longe e a movimentação na casa incluía portas fechadas, entrou no assunto com ela, mas entrou desajeitado:

— Você sabe, filha, que alguns homens podem perder o interesse depois que começam a ter intimidade com uma mulher?

— Sei, pai. E o senhor sabe que algumas mulheres também, não é?

Seguiu-se um silêncio constrangedor, Miguel balançou a cabeça atingido pelo recado. As mulheres também podem se desinteressar... Ah, como ele sabia disso! Às vezes, Veneza o assustava de tanto que se parecia com a mãe. Pronta para falar sem enfeites. Por mais que ela não estivesse falando da experiência do pai, em particular, e não houvesse em sua voz agressividade, acabou colocando a mãe na sala, entre eles. Miguel encerrou o assunto, visivelmente desconcertado, perdera o ensejo:

— Está certo! Tente não engravidar, Veneza, para você não ter que parar de estudar. Imagino que você saiba como fazer isso...

E ela sabia. Foram anos de muita paixão entre Veneza e Caim, com a rara liberdade de poderem trancar a porta, o que na época era um privilégio de poucos, inaceitável para muitos. A maioria dos jovens vivia a iniciação sexual em posições bastante desconfortáveis e clandestinas. Era preciso mentir muito em casa. Grandes armações, cúmplices, culpa, tudo por um apressado mas glorioso prazer.

A revolução sexual era um fato consumado em muitos lugares do mundo. Mulheres já haviam queimado sutiãs, mas nada chamuscara as convicções de Custódia. Em sua casa, a vigilância era de segurança máxima. Repetia os olhos da mãe. Todos eram suspeitos, e ela estava convencida de que, se tivessem oportunidade, seriam culpados. Principalmente as moças, as filhas de Eva e de seu caráter desobediente. Se, em vez de Caim, Custódia fosse mãe de Veneza, aí sim, seria uma lavagem cerebral nas águas viscosas do pecado, da repulsa e de todos os demais plasmas onde o sexo é sempre lama.

Antunes fora um homem animado demais, tanto fogo só podia ter algo de inferno, era o que concluía Custódia, num frêmito de repulsa. Que Deus livrasse seus filhos da volúpia desvairada que, sinceramente, ela considerava cansativa, e com consequências imprevisíveis para a eternidade. Não valia o risco. Procriar sim, tomar gosto, não! Na casa de Custódia, as carnalidades continuavam sendo um mal necessário, mas com um novo ingrediente: a distração. O reco-reco da máquina de tricô e suas incontáveis manobras: cortar, emendar, resgatar pontos tomavam tempo à especulação maliciosa. Além disso, a sogra adorava a nora com um amor tão dócil que não lhe passava pela cabeça que uma moça como ela, de boa família, estivesse se deitando com seu filho, debaixo do nariz do próprio pai. Inimaginável. Quando Caim, uma noite ou outra, avisava que ia dormir lá, Custódia enxergava o quarto de hóspedes, o filho exausto e o pai da nora vigilante.

Por sorte, a libertinagem era tão impensável que o assunto não vinha à tona. E o melhor dos mundos era mesmo que ficasse submerso, uma vez que Veneza, muito decididamente, não negociaria se esconder. Se a pergunta fosse feita, ela responderia a verdade, sem floreios, para desespero de Caim, que tentou de todas as formas convencê-la de que certas coisas não mereciam ser reveladas. O que custava preservar a ilusão de uma mãe que estava querendo ser iludida?

— Sem chances — respondia Veneza. — Nada a esconder, amor.

Custódia e Antunes adoravam quando a nora vinha visitá-los. Bastava a presença de Veneza para que todos se tratassem melhor. Mal ela chegava, a sogra estendia sobre a cama a produção recente de blusas, meias e cachecóis para mostrar orgulhosa o que tinha feito. Veneza olhava tudo aquilo com interesse e vibrava quando gostava de alguma coisa. Sobre o que não gostava, calava de maneira elegante. E se Custódia insistisse com indiretas, querendo colher elogios onde formigavam ressalvas, Veneza fazia suas considerações com sinceridade, sem deixar de reconhecer que a criatividade da sogra a impressionava. O que, por sua vez, bastava para alçar a patamares elevadíssimos o caráter confiável da nora que não mentia por bajulação.

Antunes também queria seu bocado de atenção. A arquitetura e os novos acabamentos em voga, as tecnologias de ponta na construção civil eram assuntos que ele e Veneza gostavam de dividir, ocasião em que a experiência de Antunes na Pregos & Etecetera se mostrava com algum valor, devolvendo a ele uma postura mais ereta.

Só Abel não se acostumava com a presença de Veneza, a atração não arrefecia, e ele, para dominar o rebuliço que sentia diante dela, se fechava.

Custódia gostava tanto da presença da nora que instituiu um lanche semanal ao fim das tardes de sábado. Mal amanhecia na casa, todos os corações começavam a se preparar. Esses encontros tornaram-se o momento mais esperado da semana, inclusive por Abel. Na verdade: principalmente por ele. Veneza nunca vinha de mãos abanando. Trazia um chocolate ou uma sobremesa, uma revista de moda ou arquitetura e uma coleção de pequenos casos corriqueiros, que contava com fluidez hipnotizante. Para Abel ela trazia, sempre, o agravamento.

Durante um desses encontros em que conversavam animados, o telefone tocou e Custódia foi atender. Começou a tremer e a gritar apavorada. Do outro lado da linha, sua mãe contava, em pânico, que o pai estava caído no chão passando mal e ela não sabia o que fazer. Todos rodearam Custódia tentando ajudá-la. Fizeram com que desligasse o telefone para conseguirem ligar para os irmãos que moravam na cidade, mas o pai já estava morto. Tivera um ataque do coração fulminante. Ainda naquela noite, a família viajou para Divino das Laranjeiras e Veneza foi com eles.

Antunes foi dirigindo e, ao seu lado, Custódia. Nessas horas, ele se transformava em um homem firme e amoroso, cheio de cuidados com a esposa. As mãos solidárias em breves carinhos, a voz mansa e as palavras certas. Se ele fosse sempre assim, ela o amaria.

Custódia viajou calada, distante, imersa no passado, revisitando seus sentimentos pelo pai, um homem tão severo... Que pena. No banco de trás, um outro drama se desenrolava ainda mais silencioso: as curvas da estrada faziam o corpo de Abel triscar o de Veneza. Nunca estivera tão perto dela.

Quando chegaram a Divino das Laranjeiras, já de madrugada, a casa da família estava movimentada. Ainda na calçada, encontraram irmãos, cunhadas, tios, sobrinhos e vizinhos, em pequenas rodas que entravam pela casa. A mãe de Custódia, dona Zeni, olhos dilatados, meio passada com a morte súbita do marido, se agarrava eficiente à produção de café e biscoito. Ninguém se atrevia a tirá-la das providências. A concentração em não queimar as mãos nem os biscoitos dava a ela o único chão possível naquele momento. Precisava ter por perto as coisas que dominava. A atenção presa na fervura da água e no sovar a massa a manteria de pé.

O marido já estava arrumado, o corpo esticado na cama, aguardando as demais providências. Foi lá que Custódia viu o pai morto. Quando entrou no quarto, teve vontade de desrespeitá-lo. Gritar com ele, não abaixar a cabeça, contestá-lo. Queria ter razão, assim de queixo levantado, bem na cara dele, agora que ele não poderia mais esmagá-la com seu olhar. Diminuí-la. Mas o que veio foi um choro de mil lágrimas, mil mágoas guardadas que, de repente, não teriam mais volta. Quem testemunhou a cena se compadeceu com o desespero da única filha mulher, parecia uma dor de perda. Mas era uma dor de nunca. Queria ter amado o pai.

Cinco meses depois, Custódia voltaria ao mesmo lugar para enterrar a mãe. A mãe que o tempo e os netos amaciaram como um creme rinse. A vida em torno do marido não soube prosseguir sem ele. Logo depois que ele morreu, todas as noites, Zeni amarrotava as camisas dele para passá-las na manhã seguinte. Um dos filhos, irmão mais velho de Custódia, vendo o despropósito da mãe, tentou argumentar com ela:

– Mãe, a senhora sempre detestou passar as camisas do pai... Pra que isso agora? Eu sei que a senhora tá sofrendo com a morte dele, mas...

– Não, Matias – interrompeu Zeni –, estou sofrendo com o que sempre sofri: passar roupa.

Pouco tempo depois, numa manhã de terça-feira, as camisas amarrotadas sobre a mesa de passar, Zeni não acordou. Morrer era mais fácil do que ser livre. Quando Custódia entrou no quarto, a mãe morta estava estendida do outro lado da cama em que o pai estivera. Usava seu melhor vestido, não o de que ela mais gostava, mas o das ocasiões especiais. Feito de uma fazenda muito boa, como ela diria com desajeitado contentamento. Custódia não chorou ao ver a mãe sem vida, apenas tirou da bolsa um ruge e passou no rosto dela, cobriu seus lábios com um batom rosado, discreto, e ajeitou as mechas de seus cabelos brancos. Depois, deu à mãe um beijo demorado na face como um acerto de contas.

Desta vez, Abel, Caim e Veneza, debaixo de incontáveis recomendações, tiveram que voltar para Belo Horizonte de ônibus e sozinhos. Antunes e Custódia ficaram em Divino das Laranjeiras para ajudar na limpeza das gavetas e na partilha dos bens.

14

"Oi, Veneza."

"Vedina? Você ligou?"

"Liguei."

"Desculpe, eu estava em uma reunião na escola de Rosa. Tudo bem?"

Vedina começa a chorar ao ouvir o nome de Rosa... A banalidade de uma reunião na escola... O amor salpicado de cotidiano foi dilacerante para ela.

"Vedina, o que aconteceu? Você está chorando? O que aconteceu?"

Ela não consegue responder. Tem cacos de vidro na boca. Perder Augusto enquanto Rosa está segura na escola parece ainda mais insuportável. A culpa aperta seu pescoço... O nome de Rosa soa como uma condenação. Uma sentença inapelável.

"Vedina, onde você está? Onde você está? O que aconteceu? Onde você está?"

"Em casa."

Ela responde num esforço entre soluços. Não quer mais sentir nada. Como não ligou ainda para a polícia? O tempo está passando. Augusto só tem cinco anos, meu Deus, cinco anos! Deveria estar na escola, como Rosa. Nunca se passou um dia, um minuto, um segundo de toda a vidinha dele em que ela não soubesse onde ele estava... Como pôde? Como pôde?

"Eu estou indo praí, ok? Ok? Ok, Vedina? Responde!"

"Ok."

"Estou perto, muito perto, não vou demorar. Você me espera, está bem? Está bem? Você me espera?"

"Espero."

5

Há um abismo nos olhares que, tendo se cruzado, se veem.

Nas manhãs de sábado, a Pregos & Etecetera abria às oito horas. Antunes, que ainda estava em Divino das Laranjeiras, ligaria às sete e cinquenta e nove na loja, para conferir se Abel estava onde deveria estar. Abel acordou atrasado. Levantou às pressas para tomar banho, atravessou o corredor correndo e deu de cara com a porta do banheiro trancada. Caim estava no banho. Bateu na porta de leve e ele respondeu que estava terminando. Abel ficou por ali, observando, aflito, a sequência de fotos em preto e branco na parede do corredor. Ele e Caim pequenos. Uma vez perguntou à mãe quem era ele nas fotos. Ela respondeu cheia de certeza. Dias depois, perguntou novamente, e a mãe mudou a resposta. Nem ela sabia. Nem ele saberia.

Estranhou que a porta do quarto de Caim estivesse fechada e, atraído pela força de um pressentimento, girou cuidadosamente a maçaneta e empurrou a porta. Veneza estava deitada de bruços, um braço ao longo do corpo, o outro dobrado rente à cabeça. Dormia sobre uma das faces, virada para a parede, o travesseiro caído no chão, os cabelos espalhados no lençol, a coberta jogada de lado. A camiseta à vontade, levemente levantada, deixava ver as pernas longas e abandonadas. Uma delas, um pouco mais dobrada do que a outra, fazia um pequeno relevo no quadril, e a delicada bochecha da bunda soltava-se no ar, atravessada pela renda azul da calcinha. Abel deu dois passos na direção da cama, o coração disparado diante dos redondos de Veneza, seguiu lentamente o azul até perdê-lo na intimidade profunda. Mal respirava. A boca seca diante da pele lisa... Veio a vontade de deslizar as mãos, cumprir o trajeto entre as coxas, arrastar o tecido da camiseta desnudando o que ainda se escondia. Imaginou afundar o rosto na vala onde os volumes de Veneza convergiam e morrer ali, no lugar em que a vida começa. Queria morrer, queria que tudo acabasse nesse precipício... Deu mais um passo, o sangue insensato e veloz... Foi quando Veneza se moveu, virou a cabeça e, se abrisse os olhos naquele momento, o veria. Abel sentiu o corpo tremer, saiu do quarto antes de terminar o que parecia imprescindível viver. Um segundo depois, Caim abria a porta do banheiro.

Ver o corpo de Veneza foi absorvê-lo. Foi imensamente mais do que imaginar. Um mergulho sem o anteparo das palavras, uma invasão. Aquela fração de segundo carregou uma realidade inteira para dentro de Abel, crua, sem intérpretes: o corpo de Veneza era de Caim. Todo o corpo dela estava para todo o corpo dele. Veneza, descoberta, dormia tranquila, confiante na entrega absoluta.

Em Abel, não se tratava mais de suspeitar, imaginar o óbvio, concluir o que se dava entre eles. Agora tinha um instante preso na carne: a experiência mesma, ainda que interditada, de ser Caim e ter a liberdade de afastar com mãos leves as pernas de Veneza e olhar demoradamente suas pétalas rosadas. Abel, debaixo do chuveiro, sentiu um arrepio com essa visão: abrir as pernas de Veneza e se demorar em um olhar de dono. O dia só estava começando e, sem imaginar o que ainda viria, sentiu-se cansado: por quanto tempo viver ainda seria apenas imaginar?

Na cozinha, Lizete, a empregada de Custódia que, à custa de muita necessidade e graças aos efeitos abduzíveis da máquina de tricô, estava havia dois anos e meio na casa – o mais baixo *turnover* da história –, colocara a mesa de bom humor. Longe da patroa até cantarolava. Não disfarçou um sorrisinho malicioso quando viu Caim e Veneza chegarem na cozinha. Estavam se deitando e não era para dormir, pensou, com a boca cada vez mais rasgada. Dentro dela se operava uma íntima vingança: aquilo sim chatearia muito quem tanto a chateava. Mas não seria ela a caguetar, queria ser cúmplice. Vingava-se melhor calando.

Mal os dois se sentaram à mesa, Abel ensaiou se levantar, tinha terminado, mas foi abordado por Veneza.

– Hoje vamos fazer o lanche de fim da tarde. Você vai estar em casa, Abel?

– Vou – disse, sem sustentar o olhar.

– Que bom! – comentou Veneza, sorrindo.

Ele se despediu em seguida e saiu abalado. Veneza na mesa. Veneza na cama. O impacto do corpo dela e a ressaca de ter ido longe demais vieram aos soluços ao longo do dia. Desconfiou que o descontrole rondava uma oportunidade de acabar com ele. Quando, no fim da tarde, se reencontraram, Caim estava alegre, cheio de assuntos que contava com desenvoltura, olhando nos olhos de Abel com a naturalidade de um irmão, e tudo pareceu ter jeito. Abel ficou entre eles e chegou a sorrir. Por insistência de Veneza, acabou falando um pouco sobre o trabalho, surpreendeu-se com um instante de entusiasmo ao contar que Antunes resolvera vender aviamentos, de tanto que as senhoras da região procuravam por eles. Com isso vieram os botões, linhas, zíperes e um sortido armarinho acabou ganhando espaço entre os pregos. O pai andava exultante com a virada e repetia sem parar que as saias já faziam mais pelos negócios do que os bigodes. A conversa rendeu horas corriqueiras que fizeram o tempo passar sem luta. Quando foi se deitar, Abel estava mais leve, livre da afluência dos pensamentos e da competição impudente que disputava sozinho e pelas costas do irmão, até que acordou de madrugada com sede. Foi beber água e, na cozinha, encontrou Veneza.

Veneza fora pega pela insônia. Virou e revirou na cama até ir atrás de um chá de camomila para chamar o sono. A água estava no fogo quando Abel entrou na cozinha e deu de cara com ela. A conhecida pane, em segundos, se instalou nele. Para ele: explícita, vergonhosa, delatora. Para ela: nada de mais, apenas o jeito tímido do cunhado. Estava acostumada, com sono e apaixonada por Caim. Mal notou.

Vestia a mesma camiseta que Abel vira com ela de manhã. Reconheceu: era do irmão. Ela ofereceu chá e ele aceitou, depois recusou e aceitou novamente, em sua completa falta de jeito diante dela. Sentou-se à mesa, em seguida, e assistiu, com olhos vidrados, Veneza se movimentar. Ela levantou os braços, abriu o armário, a cada movimento um pouco mais das pernas e das curvas que, agora, ele conhecia e, naquele momento, atreveu-se a vasculhar. Ela pegou duas canecas e caminhou até a mesa na direção dele, os seios vieram soltos, redondos, e, como dois olhos acesos, atravessaram a camiseta e o encararam. A beleza torturou Abel.

Enquanto Veneza voltou ao fogão para vigiar a água que fervia, ele, trêmulo, sentiu o sangue arrastá-lo. Por sob a mesa, levou as mãos no que gritava e começou a se tocar, tomado por sentimentos que não conseguia *afastar*: o desejo por ela e o asco por si. Soltou-se no galope atento aos mínimos movimentos de Veneza. Como se ela fosse o chicote, a exigir que ele corresse, e como se fosse também um veneno capaz de destruí-lo. Ela, de costas, voltada para o fogão, apagou o fogo, ele galopou, ela tirou a tampa da chaleira, ele galopou, ela virou a camomila na água fervendo, ele galopou, ela buscou um pano para não queimar as mãos na alça da chaleira, ele galopou, galopou, galopou... E então, ela se virou para ele, e ele, em um esforço insano, ficou imóvel enquanto seu sangue prosseguiu desenfreado, bicho possuído batendo em suas paredes. Abel manteve-se paralisado e inexpressivo, como fizera tantas vezes diante do professor Imensa. Veneza serviu o chá e ele, com mãos impuras, levou a xícara até a boca e o bebeu, queimando-se em penitência.

— Perdeu o sono, Abel?

— Fiquei com sede.

— Acho que comi muito, me deu insônia.

Abel fechou os olhos, queimara-se.

— Está tudo bem?

Ele balançou a cabeça num tímido sim.

— Posso te perguntar uma coisa?

Novamente, sem palavras: sim.

— É uma bobagem, mas, outro dia... Quer dizer, não tem a menor importância, só fiquei curiosa... É que eu vi meu livro de biologia... Lembra que te pedi para entregar um livro para uma amiga minha que era da sua sala? Nem sei se você se lembra disso, a gente ainda não se conhecia direito. — Abel perdeu a cor, a mão tremeu na xícara e Veneza se apressou em acalmá-lo:

— Desculpa, Abel, isso não tem a menor importância... É que sua mãe precisou de uma chave de fenda pra consertar alguma coisa na máquina de tricô e me pediu para procurar no seu quarto e... eu vi o livro lá, numa gaveta. Achei engraçado.

— Eu... não... Eu entreguei o livro... quer dizer... o meu livro, talvez, e não o seu... Fiz confusão e...

— Tudo bem, Abel, está tudo bem! Entendi. Só fiquei curiosa mesmo.

Quando Veneza se calou, Abel não sabia o que fazer diante dela, dos seios, do livro desmascarado, da mão torpe sob a mesa, da boca queimada, da humilhação eterna. Murmurou alguma coisa como um boa-noite sufocado e foi para o quarto. Mal fechou a porta, suava, pegou o livro roubado, abriu a primeira página, como fizera inúmeras vezes, e viu o nome de Veneza escrito com a letra dela. Chorou como não fazia havia anos. No dia seguinte, mal sairia do quarto.

Veneza ficou ainda por um tempo na cozinha, e se lembrou do dia em que foi procurar a chave de fenda no quarto de Abel. Quando abriu uma das gavetas, reconheceu o antigo livro de biologia, capa verde e laranja, e teve o impulso de folheá-lo. Foi aí que viu seu nome e sua letra, na primeira página. Lembrou-se claramente de que Flávia, sua amiga, havia lhe agradecido o empréstimo. Nunca se esqueceria disso porque, na ocasião, junto com o "muito obrigada" veio o mimo de um saquinho de pano, estampadinho, para colocar calcinhas, que ela ainda tinha. Que Flávia recebera o livro, sem dúvida, recebera. Então Veneza deduziu, e tinha acabado de confirmar com Abel, que fora uma confusão qualquer, bobagem.

Mas ali, bebendo seu chá de camomila, veio a imagem do quarto de Abel: tão inabitado! Não tinha enfeites, nem fotografias, nem carrinhos da infância, nenhuma memória. Nada nas paredes, nem sobre a cômoda, nem sobre a cama. Apenas um crucifixo no alto da porta, que Veneza sabia que não era dele, mas de Custódia. Um quarto sem rastros, sem pegadas, como se lhe faltasse passado. Sem histórias... Um boné dependurado que fosse, uma bola murcha, um violão empoeirado, nada! Diante de tanto desapego, que diabo seu livro estava fazendo ali?, pensou Veneza, atravessada, subitamente, pelo olhar vitrificado de Abel que vira havia pouco. Veio uma sensação perturbadora, mas logo se dissipou: Abel tinha o rosto do homem que ela amava.

Custódia voltou de Divino das Laranjeiras e caiu de cama. O reco-reco se calou numa depressão oca, o corpo desistiu. Não tinha ânimo para nada, mal tinha vontade de comer. Queria só ficar deitada no quarto fechado. Ter aberto a gaveta dos pais, esvaziado os armários, revisitado fotos, roupas, velhas histórias, mexeu com coisas trabalhosamente enterradas. Foi como bater um prego na parede, acertar no meio de um cano e ver tudo vazar na pressão.

Os irmãos tiveram lugar de destaque no esgotamento de Custódia. Entregaram para ela uma conta que vinham fazendo há muitos anos: a da filha ausente. A única filha mulher, e teve coragem de largar a mãe pra lá, desamparada no dia a dia, entregue às noras. Muito católica, muito rezadeira, temente a Deus, mas péssima filha. De que valia? Zeni adorava os netos e Custódia fez questão de afastá-los. Punia a mãe. Nunca a convidara para uma temporada em sua casa, nem para a formatura de Caim a mãe fora convidada. Evitava aparecer e também não queria que aparecessem. Nem mãe, nem pai, nem irmãos. Quatrocentos quilômetros não era tanta distância assim. Longe, de verdade, era o desprezo.

Durante a estadia de Custódia na casa dos pais, depois da morte da mãe, os irmãos foram soltando aos poucos o que represavam. Insinuaram, alfinetaram até que Custódia explodiu e, nessa hora, não tiveram dó. Quatro marmanjos em conluio fizeram um estrago de homens, jogaram sobre ela uma tonelada de culpa. Algumas sem defesa, outras injustas, mas todas dolorosas. Custódia começou a se ver pelos olhos dos irmãos, e quando olhou para Antunes viu o que fizera a ele também, e aumentou ainda mais o peso sobre si.

Ao voltar para casa e encontrar os filhos, pensou que não daria conta de mais nada. E não deu. Via o brilho nos olhos de Caim, e nos olhos de Abel não sabia o que via. Não eram amigos. Falhara. Pior: nos últimos tempos, nem se importava mais em ter falhado. Não prestara como filha e não prestava como mãe. Desabou.

Toda tarde, Antunes, ao chegar da Pregos & Etecetera, com ou sem escala em algum botequim, ia vê-la, manso, solícito, mas ela nem se mexia. Até que um dia, sem abrir os olhos, Custódia segurou as mãos dele e assim ficaram de mãos dadas. Se ela sentiu o cheiro de álcool, não rejeitou. Isso passou a se repetir. Aos poucos, ele foi se sentando na beirada da cama ao lado dela, coisa que não fazia desde que deu o nome aos filhos e eles passaram a dormir em quartos separados. Sentava-se quase sem respirar para não espantar as mãos dadas. Às vezes notava que dos olhos fechados de Custódia escorriam lágrimas silenciosas e discretas. Antunes se comovia, chegou a suspender a bebida. E as lágrimas foram, devagarinho, dessalgando aqueles dias.

Lizete, por sua vez, cantarolava como nunca. Assumiu a casa como se fosse a dona. Cozinhava, passava, limpava e, principalmente, decidia. No começo, achou que se tratasse de corpo mole, um chilique de patroa — pobre não deita quando sofre —, pensava com caretas. Mas depois viu que era mesmo uma tristeza grave. Doença. Parou de implicar e assumiu o dia a dia da casa, onde dormia ao longo de toda a semana. Aos sábados, antes de ir embora, deixava pronto o lanche da tarde. Tarefa que Custódia sempre fizera questão de assumir sozinha e que, agora, delegava.

Veneza vinha e passava um bom tempo no quarto com a sogra. Aos poucos, foi conseguindo levá-la para a sala. Contava, animada, pequenas coisas: da escola, do pai, das revistas e, com esforço, Custódia acabava forçando o interesse por um assunto ou outro. Em um desses dias, Veneza contou que no final de semana seguinte ela e Caim iriam a uma festa. Eram famosas as festas na escola de arquitetura da universidade federal. Atraíam estudantes de todos os cursos e costumavam pegar fogo. Muitas doses de capeta, rock and roll e amassos encaminhando as libidos em polvorosa. Nada que Custódia pudesse ou devesse imaginar. Veneza ateve-se ao entusiasmo de dançar, coisa que adorava.

— Caim até que dança bem, mas é avarento, dona Custódia, dança pouco!

Caim, que ouvia a conversa, improvisou uns passinhos, abraçou a mãe tentando levá-la junto, e ela, com meio sorriso nos lábios, resistiu. Gostava da alegria do filho, seu coração crescia nos braços de Caim, mas logo se apertava. Quando Veneza veio se despedir, pediu a ela:

— Convide Abel para a festa, minha filha. Esse menino precisa de alguma alegria.

E Veneza convidou.

A festa começava na travessia de um imenso corredor, largo e comprido, onde panos dependurados formavam um labirinto. A decoração esmerada, iluminada com sensibilidade artística, já era uma espécie de aquecimento. Entregava os convidados aguçados ao pátio central da escola, um gramado cercado por um bar, por um espaço contíguo, onde funcionava a creche da universidade, e por duas salas do diretório acadêmico, onde a pista de dança fervia. A música alta era contagiante, e muito do que se podia ouvir, só se podia ouvir ali, no garimpo dos iniciados, bons de mixagem em fitas cassete, que conseguiam trazer de fora do país o que de melhor andava tocando no mundo, além do rock nacional que, àquela altura, começava a cair nas pistas como pólvora. O bar girava, frenético, cerveja, vodca e o tal capeta, bebida feita com pinga, guaraná, limão e mel, que turbinava os adeptos em poucas doses. Bafos longínquos de maconha no ar. Beijos engolidores explodiam a libido. Casais em teste, militantes em trégua, homossexuais assumindo-se, artistas embrionários, todos loucos por uma noite inesquecível.

Entrar nesse mundo foi estarrecedor para Abel. Ele vivia em outra cidade, talvez outro planeta, absorto, consumido por dilemas caliginosos. Um rapaz como ele, que morava no interior que resistia na cidade grande, que parou de estudar e começou a trabalhar com o pai em uma lojinha de bairro estreita, frequentada por clientes mais velhos, dedicados a manter o mundo funcionando no aperto de parafusos, não sabia para onde olhar em uma festa cheia de universitários ávidos por liberdade, prazer e frenesi. Gente disposta a soltar o corpo. Experimentar.

A breve ilha ensolarada daquele momento, depois da revolução sexual e antes da aids, a redemocratização do país em curso, os fígados novos aguentando as experiências etílicas e a velha euforia da juventude resultavam em festas muito animadas. Todas aquelas pessoas viam o mundo por uma janela que Abel não alcançava nem na ponta dos pés. Nem do alto do abacateiro. Como disse uma vez padre Tadeu, o que poderia separá-lo de Caim era Caim aprender e ele não. A ignorância abrira léguas entre eles.

Copos cheios, abraços sinceros, intimidade. Os amigos receberam Abel como se fosse Caim: calorosos, divertidos, dividindo com ele cerveja e empolgação. Como os dois se pareciam!, comentavam. A diferença imediata, antes de se tornar enorme, era só na cor das camisas. Um dia antes da festa, Custódia surpreendeu a todos no café da manhã: largou a cama em que estava metida havia meses e avisou que iria ao centro da cidade. Voltou com duas camisas e deu uma para cada filho, era a primeira vez que dava a eles roupas diferentes:

— Para vocês irem à festa — disse.

Os jardineiros compareceram em peso. Antero cursava ciência da computação, e parecia mais à vontade, com olhos menos observadores. Não demorou a se atracar a uma moça, que, segundo testemunhas, ele não namorava, mas monopolizava todo fim de semana. Lourenço, que largara o curso de engenharia mecânica para fazer letras, seguia firme, desempoeirando palavras e guarda-roupas. Ignorava o som alto e os apelos de "menos papo e mais ação" e tentava, a todo custo, uma vítima para longas conversas. Vedina, que se juntara ao grupo por último, tinha os cabelos mais curtos, mais modernos, na altura dos ombros, vazados pelas orelhas extrovertidas de sempre. Cursava administração e parecia estar mais encorpada, cumprimentou Abel com um abraço apertado. Embora não se vissem com frequência, os cinco jardineiros, que haviam combinado de se encontrar aquela noite, resgataram rapidamente a intimidade, como sempre acontecia. Abel ficou um tempo entre eles, depois circulou sozinho e sobretudo observou, de longe, Veneza.

Ela estava linda: luz feita de partículas discretas. Usava um vestido branco, reto, cavado nos braços, e brinco de pérolas, ares de brechó. Destoava dos totalmente de preto, dos totalmente coloridos, dos totalmente extrovertidos. Bebia vodca e foi sendo tomada por uma leveza sensual. Ela e Caim não ficavam o tempo todo grudados, circulavam separados. Ela buscava bebidas, entrava e saía da pista de dança, e demorava-se em outras rodas. Às vezes os dois se achavam e se beijavam com os corpos colados. Uma certa hora, Veneza levou Caim para a pista e ele se soltou com movimentos atraentes. Seduzia. Logo se cansou, escapuliu deixando a namorada por ali com outros amigos. Foi nessa hora que Veneza viu Abel. Ele estava encostado na parede e olhava para ela.

Veneza dançou para ele. Os movimentos macios sincronizados com a música animada. Aos poucos caminhou na direção de Abel e, pegando em sua mão, o arrastou para o centro da pista. Ele não sabia se soltar, mas queria ficar ali, diante dela, livre para observá-la. Apenas transferia o peso de um pé para o outro. Tinha bebido e sentia coragem. Ela estava decidida a fazer com que ele dançasse. Pegou uma de suas mãos e pôs em sua cintura. O sangue começou a envenená-lo. Veneza aproximou a boca do ouvido de Abel e suas palavras "amo dançar", tentando superar o volume da música alta, sopraram um vento desmedido dentro dele.

Caim voltara para a pista e procurava por Veneza. Viu o irmão e ela do outro lado e caminhou na direção dos dois. Eles pareciam flutuar presos um ao outro. Quando já estava quase entre eles, abruptamente, Veneza empurrou Abel e se desvencilhou dele. Ao se virar, deu de cara com Caim. A luz girava no teto e, ainda assim, podia-se ver que ela tinha olhos transtornados. A música ficou distante... Por um segundo, só existiam os três, os vértices e os vestígios do que acabara de acontecer. Veneza, trêmula, deu as costas e desapareceu. Restou Caim e Abel e o olhar sólido entre eles. Abel também se virou e saiu. Caim ficou sozinho na pista, os corpos dançantes se reorganizaram ao redor dele, alguns conhecidos o abraçaram com o entusiasmo de amigos, e ele foi sendo arrastado, afundando e emergindo entre a lucidez e os efeitos da bebida.

Abel saiu decidido a ir embora da festa. A carne ignorante latejava, exigia mais dele e, ao atravessar o gramado, ignorando os caminhos desenhados pelas placas de cimento sobre a grama, no trajeto marginal: Abel encontrou Vedina. Ela vinha em sua direção, desprotegida, acostumada aos *desacontecimentos*, e, ao se aproximar, foi impetuosamente tomada: Abel a beijou. Beijou como quem a devorasse, encostou Vedina na parede e, contra ela, seu corpo sem freios. Empurrou, apertou, espremeu-se nela, a boca avançou pelo pescoço, as mãos abusaram de liberdades e Abel, num frêmito, escorreu violentamente. Depois, sem olhar para ela, foi embora.

Caim e Veneza também não demoraram a deixar a festa. Os passos não estavam nem firmes demais, nem tortos demais. Seguiram calados. Na cabeça de Caim, eles passariam a noite juntos, como sempre faziam. Ele chutou pedrinhas pelo caminho, sabendo que fugia e sem saber exatamente do quê. Ao chegar na casa de Veneza, ela quis que ele fosse embora, queria dormir sozinha, disse sem explicar. Caim não contestou, não manifestou nada que não fosse prontidão em fazer a vontade dela. E aquilo doeu mais do que se tivessem brigado.

Nos dias seguintes, a rotina ocupou a realidade e os acontecimentos foram se dissolvendo na memória. A música alta, o álcool, a luz girando sabotaram a nitidez do que fora ofendido. Mas, no coração, tudo que vaza é vermelho. A omissão sangra o amor a conta-gotas e o perde um pouco a cada dia. Pode durar anos, como durou, até que o silêncio irrompa com a força do tempo.

Eles eram tão jovens para se calar! Gritassem a cisma de um e a certeza do outro! Tivessem posto para fora, impediriam os tártaros. Mas não. Calaram-se.

Veneza parou de ir aos lanches de sábado na casa de Custódia, com as mais variadas desculpas dadas até para si mesma. Mas não parou de amar Caim, mesmo que ele tivesse o rosto que também queria esquecer. Estavam apaixonados. Então, em um sábado de manhã, quando Custódia ligou e disse:

— Venha me ver ou eu volto para a cama e não saio mais.

Veneza foi.

15

"Espero."

Foi a última coisa que Vedina disse ao telefone. Esperaria quanto tempo fosse preciso por Veneza. Que outra coisa fez na vida além de esperar? Há quanto tempo espera pelo movimento de alguém? Esperou que a mãe sentisse sua falta e fosse à casa da avó buscá-la. Que chegasse desajeitada, a bolsa ainda no ombro, e dissesse, com encharcada impotência: Não posso viver sem você, filha.

Esperou que as amigas na escola andassem de braços dados com ela e fizessem confidências entre risos, e que ela não precisasse percorrer de cabeça tão erguida o caminho da quadra.

Esperou que Caim se declarasse, diante do mar de Copacabana, quando então a coisa mais extraordinária de toda a sua vida teria acontecido.

Ainda agora, espera por Veneza. Espera reparar o que fez. Espera, de tênis e soterrada, por algum perdão.

De todas as coisas em sua vida, a que mais esperou e desesperou foi pela intimidade. Quando seu corpo poderia confiar no corpo do homem com quem se casou e entregar a ele mais do que se pode tocar. Tinha fantasias de amor e doçura. De cumplicidade. Esperou que Abel viesse para a cama e entre adormecer e amanhecer, confiantes, um se largasse no outro como quem se entrega a um casaco velho. Mas Abel passava meses, ano, sem tocá-la, nem com olhos, nem com volúpia ou ternura, nem por distração. O que uma mulher pode fazer quando um homem não quer tocá-la, além de ir embora? Mas Vedina esperou. Mesmo vendo a repugnância se desenhar nele quando o desejo se manifestava nela. Como se sua pele purgasse um chorume e suas umidades provocassem um asco incontornável. A rocha com nojo dos lodos. Das coisas que escorrem. Vedina podia ver o corpo de Abel se retrair em explícita rejeição, quando ela, depois de muito lutar consigo mesma para domar a própria lubricidade, perdia e deixava escapar um querer humilhado. A sexualidade de Vedina não se aquietava, tinha destino biológico eloquente. Apetecia-se. Tanto desejo no corpo grande desperdiçado no algodão da calcinha. Odiava a sensação de viver molhada. Tomava aquela seiva de vida como uma sujeira constrangedora. Ainda assim, esperava, e era pelo amor que esperava.

Foi então que uma vez, a primeira vez, e não seria a única, e só se daria dessa maneira entre eles, do nada, Abel veio possuí-la. Estava tomado de violenta urgência, transpirava uma brutalidade corpulenta. Sem que ela dissesse sim, sem que seu não tivesse voz, Abel penetrou Vedina com movimentos de ofensa. A carne esfolada a cada estocada sentia a dignidade se rasgar e, ainda assim, foi o cheiro de coisa talhada que exalava de sua vulva aberta o que mais a humilhou. Como se não estar de banho tomado fosse a parte inaceitável do que acontecera.

Depois que ele acabou, Vedina levou as mãos trêmulas entre as pernas, no epicentro da dor, e havia um vômito espalhado, porque aquilo não era gozo. Talvez Abel tenha pensado que deu a ela o que ela tanto esperava. Mas não, não deu. Feriu. Feriu o amor de Vedina por ela mesma: a extrema agressão. O corpo violado de Vedina não teve estatura para reagir: ovos esmagados no ninho onde deveriam ser protegidos. A dignidade despedaçada caiu de joelhos e ainda rezou por ele. Vedina deu a Abel o indulto de pobre menino... Tantas circunstâncias, pobre menino! Tímido, sofrido, inferiorizado. Justo na hora em que rompeu as amarras e se libertou deve ser castigado? Por que não compreendê-lo? Por que não esperar que ele aprendesse? Haveria um jeito de penetrá-lo. Quem sabe até pudesse esperar daquele momento um novo começo?

Aquilo se repetiu outras vezes, e era o fim que se repetia.

4 *Só melhorando os homens melhoramos seus deuses.*

Veneza encontrou Custódia na cozinha, e ela estava alegre. Abraçou a nora com sincera emoção, não se viam havia muitos finais de semana. O cheiro das roscas e biscoitos estava por toda a casa e era um inconfundível sinal de que a sogra estava de volta! Custódia passou água nas mãos, tirou o avental, deu instruções para Lizete, que, com a ressurreição da patroa, retomara a invisibilidade dos figurantes, e arrastou a nora para o quarto.

Mostrou com entusiasmo que tinha feito uma blusa para ela, azul com pequenas intervenções em amarelo, de diferentes tamanhos, salpicadas aleatoriamente.

— Foi a primeira coisa que fiz quando voltei a ser gente — disse, valorizando a gratidão que sentia. *Noite estrelada* de Van Gogh, lembrou-se Veneza, e se enterneceu, não só porque achou a blusa bonita, mas, também, por ver que a sogra reagia, saíra daquela tristeza de morte e retomava a vida. A blusa era um presente, disse Custódia, pegando nas mãos de Veneza e agradecendo por todo o carinho nos meses de luto, não sem reclamar, eloquente, da ausência dos últimos tempos.

Que sumiço, filha, o que aconteceu? Brigou com a gente?

– De jeito nenhum, dona Custódia. Eu estava apertada demais na escola e teve um sábado que minha mãe veio do Rio, e depois meu pai adoeceu e cada hora uma coisa – disse Veneza.

E, embora fosse verdade, tinha o peso da mentira, porque todos os motivos para não vir não eram o motivo para não querer vir. Esse ela calou, mas bastava ouvir o nome de Abel para a animália sacudir as correntes dentro dela.

– Hoje será um dia alegre!

– É mesmo? Temos novidades?

– Surpresa! – confidenciou Custódia, levando Veneza de volta para a cozinha.

Abel e Antunes tinham almoçado e voltado para a Pregos & Etecetera, mas não iam se demorar, chegariam para o lanche. A loja não abria sábado à tarde, mas eles iam fazer umas mudanças por lá. A parte de aviamentos estava crescendo muito e Antunes queria arrumar espaço para o negócio promissor.

– Não sei como eles aguentam aquilo! Acho tão abafado, mal chego lá e já quero ir embora. Uma quantidade de coisa inútil. Você sabe que tem produto ali que nunca vendeu? Não é um, não, são muitos! Antunes sabe de cor os campeões de nenhuma venda! Fala com orgulho, como se fosse uma vantagem ter coisas que ninguém quer comprar. Mas agora, minha filha, parece que eles vão ter que se livrar dessas porcarias todas, porque andam vendendo muito bem a parte de armarinho. Outro dia mesmo, mandei umas três blusas que fiz pra lá, assim no risco, só para ver o que acontecia. Ele dependurou no meio dos serrotes e você acredita que vendeu tudo?

– Dona Custódia, mudando um pouco de assunto, Caim disse que padre Tadeu esteve aqui?

– Esteve, ele apareceu por aqui, do nada, foi uma grande surpresa. Veio ter comigo, sem cerimônia nenhuma, aqui mesmo, no quarto. Eu estava daquele jeito, não conseguia nem abrir o olho direito. Ele veio passar uns dias no colégio e pensou em comprar uns cachecóis aqui comigo, pra levar de presente. Disse que o dele faz sucesso lá em Curitiba. Agora ele está morando lá, você sabia?

— Não sabia.

— Já tem mais de um ano que ele está lá. E lá é frio, né? Então ele queria encomendar uns cachecóis para alguns amigos. Aí ficou sabendo, pela turma do colégio (algumas professoras são minhas clientes), que eu não estava bem, que tinha parado com o tricô, que andava de cama, e apareceu aqui sem nem avisar. Padre Tadeu... Nós já brigamos tanto, meu Deus, quando os meninos eram pequenos. Hoje eu gosto demais dele, achei uma bondade ele ter vindo. Ele é uma pessoa fora do comum, mas, você sabe, né? É trabalhoso.

— Caim acha que a conversa com ele fez bem pra senhora.

— Pra essa vida aqui ele faz bem, eu não sei é depois!

— Como assim?

— Ah... eu acho que ele pode me encrencar com Deus.

— Que isso, dona Custódia? Ele é padre!

— Sei não... Padre Tadeu faz as regras dele. Eu acho que ele toma liberdade demais, é meio subversivo. Eu andava muito chateada com meus irmãos, precisando assim... confessar, apaziguar as coisas dentro de mim, e padre Tadeu disse, quer dizer... praticamente disse, pra eu mandar meus irmãos à merda.

— Não acredito!

— É, em bom português, foi isso. Falou que era para eu ir à igreja sozinha e ter uma conversa comigo mesma, diante de Deus. E firmar meus compromissos daqui pra frente e tocar o barco. Disse que eu não posso mudar o que já passou e nem adianta ficar me torturando, que se eu aprendi alguma coisa já é o suficiente. Ele é destemido, eu acho... Sei lá... Tinha que conversar direito, prescrever umas penitências, não sei... Mandar rezar alguma coisa, jejuar, mas ele não faz nada disso. Contei pra ele coisas muito antigas... Eu tenho lá minhas dificuldades de perdoar meu pai e minha mãe... e o Antunes também. Muita dificuldade mesmo. Tem umas coisas que me machucam até hoje quando eu lembro. Já faz tanto tempo, mas vem uma dor como se o tempo tivesse feito intriga, aumentado o tamanho de tudo... E padre Tadeu é engraçado, porque... É o jeito que ele fala, ele disse que seria melhor perdoar do que remoer. Disse que seria ótimo perdoar, mas que a gente não manda no que sente, só manda no que faz. "Sentiu essa raiva velha aí, vai lá e faz uma coisa boa, essa é a promessa que importa!" Só que Deus, eu falei pra ele, não acha isso, não! Deus manda perdoar e pronto. Nessa hora, eu já estava até sentada na cama... porque ele me chacoalha demais! Ele é meio doido...

— Não achei nada doido não, dona Custódia. Achei bonito... Largar a raiva pra lá. — E, ao dizer isso, Veneza sentiu as correntes se mexerem dentro dela.

Pouco depois, Antunes e Abel chegaram em casa, Caim e Veneza estavam na varanda lendo. Antunes veio cumprimentar a nora e Abel foi direto para o banho. Não demorou muito, a campainha tocou. A surpresa acabara de chegar.

Vedina chegou tímida. As longas pernas num inseguro acordo com o corpo. As mãos distraídas na compulsão de colocar os cabelos atrás da orelha para, em seguida, libertá-los, na esperança de que cobrissem a cartilagem exibida. Estava acanhada, os olhos derrapando.

A presença surpreendente de Vedina foi festejada com curioso estranhamento. Primeiro veio a alegria de estar com ela, que tanto Veneza quanto Caim sentiram sinceramente. Depois a pergunta que compartilharam em silêncio, ao se olharem desprevenidos: o que ela estaria fazendo ali, em um encontro da família?

Há nas famílias uma demarcação de território onde as fronteiras dizem: daqui para dentro somos nós. Dentro é onde cresce um tipo de vegetação particular, que a um estranho parecerá mato, mas que na família é flor. E pode ser flor aos olhos do visitante o que é espinho entre os que se machucam faz tempo. As sonoridades também exigem ouvidos apurados ali, naquelas solenidades. Há entonações que vibram mágoas, e trinados de alegrias ou saudade. Há sempre uma faixa de volume tolerado ao desrespeito, a textura da ironia consanguínea, os tons menores da tristeza e a resiliência do amor, quase sempre nas pausas, além do som, ora estridente, ora sutil, das entrelinhas. Coisas ouvidas na fermentação dos anos. Nas famílias, desiste-se muito das palavras para evitar exílios e, assim, nascem desertos. Se, por um segundo, essa sintaxe de húmus própria da família Antunes fosse um tecido, poderia se ver, aqui e ali, a trama esgarçada, prestes a romper, sustentada pela malha rala das fibras. Certamente, os lanches aos sábados eram uma dessas fibras resilientes. Ao se ver no meio desse terreno, onde Veneza já era iniciada, Vedina, árvore alta, teve a sorte de estar usando uma blusa tecida por Custódia. A malha vermelha com um arremate roxo na gola e nos punhos rapidamente se tornou o assunto.

Custódia contou do dia em que Vedina e a avó estiveram lá para comprar blusas.

— Levaram boa parte do estoque — disse, entusiasmada. Logo Veneza e Caim deduziram, sincronizados, que estava explicada a presença de Vedina: devia-se ao consumo generoso. Aos poucos a conversa migrou para outro território, o da amizade. E ali os três recuperaram rapidamente a desenvoltura, foram se atualizando dos respectivos cursos, das antigas histórias e dos boatos divertidos sobre Lourenço e sua erudição empoeirada.

Abel se demorou no banho. Desde a festa na arquitetura não se encontrava com Veneza e, debaixo do chuveiro, adiava esse momento ao máximo. Quando, finalmente, atravessou a sala, ouviu a voz de Vedina e precisou parar. As duas juntas tornavam tudo mais imprevisível. Encostou as costas na parede fria ao lado da porta de acesso para a varanda, os olhos fechados, a respiração penosa, reconheceu a sensação: buscava o ímpeto de atravessar aquela distância. Há anos estava ali... De muito longe vinha o presente agudo de suas costas na parede fria. Precisou de um pouco de tempo, ou de se livrar do tempo que aprisionara dentro de si.

O tempo, inabalável na mansa malha dos dias e das noites, nunca ofega. Inspira e expira o ventre onde tudo se cria. A mais sutil mudança na pedra, o deslocamento da menor partícula de ar divisível, o mínimo escorrer das águas, a insignificante transformação humana se dão nas tramas airadas do tempo. O tempo flutua invisível e em espesso presente. Nada apodrece sem ele. Nada floresce. Nada se torna amável. Nenhum ódio viceja. Nenhuma umidade seca. Nenhuma sede cede. As tempestades não inquietam nele ventos, as avalanches não podem soterrá-lo, a perplexidade não o paralisa, o mal não o ameaça e o bem não faz com que se demore. Mas eis que um acontecimento, um único acontecimento, captura o tempo e o aprisiona.

O puçá da vida, com sua rede inescapável, baila à espreita... Entre gestos, olhares, palavras, vazios, intensidades e, súbito, como se fossem borboletas, recolhe a véspera de uma dor, o desamparo sem palavras, a sutil alegria, a faísca cadente, o assombro fugidio e o desejo... E, assim, aprisiona o tempo e o faz corpo marcado.

No dia em que levou a surra do pai, ao descer do abacateiro, Abel se escondeu no buraco do muro bem lá no fundo do quintal. Uma reentrância na parede, um nicho gradeado, onde antes se guardavam ferramentas. Ali ficou como um feto, envolvido por um útero de paredes frias. Queria que a mãe viesse pari-lo novamente, e o pusesse de volta no mundo. Desejou ouvir o choro do pai nas notas graves e cavernosas do remorso e o ronco do nariz adunco tentando conter a gosma transparente e contaminada de álcool que sempre envergonhava Abel quando o pai chorava. Mas o que mais esperou foi ouvir a voz de Abelzinho gritando seu nome, sem nunca desistir de encontrá-lo. E, ao vê-lo, veria o entusiasmo do irmão em dividir mais um útero com ele e acalmá-lo com sua coragem. Pelas mãos do irmão saberia nascer. Mas apenas escurecia e os sons da noite começaram a chegar, e estava esquecido ali, como os frutos caídos naquele quintal. A dor assustada no corpinho medroso das alturas do pé de abacate roubara-lhe os ímpetos de atravessar a distância penumbrosa sozinho e se desviar do vulto das árvores e dos primeiros voos dos morcegos... Abel não conseguia se lembrar de como saíra dali — apertou as costas na parede fria... e soube que talvez nunca tenha saído.

Ao ouvir a voz de Custódia vindo da cozinha, reclamando justamente da sua demora para vir lanchar, Abel empurrou-se e entrou na varanda. Só seus olhos não olharam para Veneza naquele momento, tudo mais em seu corpo estava sintonizado nela. Ele caminhou na direção de Vedina e lhe deu um beijo na face, enquanto Custódia anunciava, com inconveniente extroversão, que os dois estavam namorando.

A vida parecia entrar nos eixos. Com os filhos namorando, o coração de Custódia sossegou. Cada passo seria dado sem sobressalto: noivado e casamento, netos pelo quintal, noras amáveis pela vida afora, filhos para sempre amigos e a santa paz de Deus afastando todos os temores. Tudo a seu tempo, como deve ser. Então, quando

Veneza e Caim anunciaram que iam viver juntos, Custódia pareceu não ouvir direito: "Como viver juntos?"

Miguel, pai de Veneza, apaixonou-se por uma mulher que, por uma dessas ironias da vida, morava no Rio de Janeiro. Para lá se mudou, levando as malas e deixando todas as cuias com a filha, juntamente com um apartamento inteiro montado. Partiu sem se esquecer das constantes críticas que fizera, durante anos, a esse mesmo trajeto, quando percorrido pela mãe de Veneza. Relutou bastante com as próprias convicções, mas perdeu: não poderia viver sem aquele amor e tampouco poderia morrer sem antes ter estado muitas vezes naquele corpo. Foi. A paixão que o arrebatou valia o preço de morder a língua: errara ao condenar a ex-mulher tão severamente, embora sustentasse, não sem razão e com resquícios de mágoa, a imensa diferença entre deixar uma filha pequena e deixá-la já adulta.

Sozinha, recém-formada, dona de um bom apartamento e apaixonada por Caim, Veneza queria experimentar "viver junto". E, embora Caim também quisesse, previa que sua mãe ia se chatear. Talvez um pouco mais do que se chatear. Foi adiando o confronto, contornando, até que, em um dos encontros de sábado, Veneza se antecipou e manifestou com entusiasmo seu desejo.

— Como assim experimentar? — perguntou Custódia. — A gente experimenta doce, roupa, creme pro cabelo... Morar junto a gente não experimenta, a gente casa e se compromete — concluiu, assim que a ideia veio à mesa. — Por favor, não me deem esse desgosto! — E o assunto ficou atravessado nas gargantas.

Quando Miguel se mudou em definitivo para o Rio, Custódia, já antenada com as intenções reveladas pela nora, foi veemente com Caim quanto a ele passar as noites na casa de Veneza.

— Quem vai correr os olhos em vocês agora que Miguel não mora mais lá?

Caim ouviu sem esboçar nenhuma reação, não sabia o que fazer com as crenças da mãe no século em que ele vivia, aquilo soava inacreditável. Mas sabia que eram fervorosas. Não encontrava razões para defendê-las, só um desânimo gigantesco de contrariá-las. Foi então contornando o impasse com Veneza e a mãe, com todas as dificuldades de um contorcionista cheio de ossos.

Com as mudas de roupa do filho só indo e não voltando, Custódia desconfiou que eles estivessem fazendo a mudança para a casa de Veneza aos poucos, bem debaixo do seu nariz. Tomou para si o propósito de intervir. Antes de qualquer coisa, como era da natureza de sua fé, pôs nas mãos de Deus. Mas, para ganhar tempo, começou a falar na cabeça dos dois sem parar. Gostava demais da nora, mas não ia permitir que ela arrastasse o filho para uma situação de pecado.

Na casa dos pais de Custódia, o pecado da carne era uma competência das mulheres. Seu pai e, obstinadamente, sua mãe se preocupavam somente com a carne de Custódia. Nunca com a dos irmãos. Eles, ao contrário, podiam fazer o que bem entendessem com a própria carcaça, desde que fosse com as vagabundas. Uma vez, todos eles, inclusive o pai, sem ver que ela estava por perto, comentaram sobre uma mulher da cidade de um jeito que deixou Custódia com o coração disparado e com a imagem impregnada na cabeça por anos: a vagabunda, disseram eles, de tanta vadiagem, tinha um buraco mais largo do que uma cisterna e que ali pra derramar alguma coisa, só virando ela de bruços, e depois riram como se todos tivessem conhecimento de causa, inclusive o irmão de quatorze anos. Mas, quando se tratava de Custódia, todos eles tinham rigores de santidade. Uma vez o pai foi buscá-la na rua e esfregou-lhe a boca com palha de aço, porque um irmão disse que ela andava usando escondido um batom vermelho quando saía de casa, parecendo uma puta. Desde então, Custódia carregava uma marca sobre os lábios e o olhar de decepção da mãe, mais duro que o aço.

No enterro de seus pais, em Divino das Laranjeiras, Custódia viu como suas cunhadas, as esposas de seus irmãos, cópias enfraquecidas de seu pai, ocupavam um lugar de cabeça erguida, muito estreito, mas ocupavam, onde se sentiam proprietárias, donas de alguma coisa. Mandavam nas alçadas corriqueiras, desde que jamais se esquecessem de que não mandavam na própria vida. Obedeciam, mas decidiam o que seria feito no almoço. Para elas estava de bom tamanho: eram casadas, vitoriosas, quase uma casta superior em Divino das Laranjeiras. Invejadas. Quando se casou com Antunes, Custódia quis fugir, pensou que escaparia da lei – nunca aceitou que os irmãos fossem livres no que ela era severamente sujeitada. Não engolia a intimidade do pai com eles, e o olhar de cima para baixo com ela, sempre convencido de uma superioridade inquestionável, acima das mulheres, dos pretos, dos pobres e dos mancos. Ainda assim, Custódia não escapou. Com Antunes brigava, atirava impropérios desgovernados, adquirira liberdade nos raios da palavra. Mas a vida dela nunca foi dela. E, apesar de todos os esforços que fez, encharcou-se da visão de mundo de que tanto desgostava, da convicção atávica de que sem casamento não se faz uma família decente.

Se queria ter filhos para dar a eles o oposto do que recebeu, a diferença não seria abrir mão do casamento, mas das vagabundas. O casamento era a única possibilidade de transmutar toda a viscosidade liberada no sexo em substrato sagrado. Não só para as mulheres, que se beneficiavam de uma dignidade sem igual como esposas, mas também para os homens, por afastá-los dos excessos. Para os filhos de Custódia, valia cumprir, mais do que todos os outros filhos amados do mundo, o roteiro de Deus. Por se chamarem Caim e Abel, já tinham debochado o suficiente das coisas divinas. Melhor era não provocar a ira do roteirista com mais ofensas.

– Não aceito – disse Custódia a Caim.

— Também não aceito — disse Veneza a Caim, sem querer render a conversa. Achava ridículo sequer discutir a questão. Como um homem brilhante, adulto e empregado, que acabara de passar em um concurso para dar aulas numa cadeira de cálculo avançado no departamento de matemática da universidade federal submetia--se às vontades da mamãe?

— Diga à sua mãe que essa é uma decisão nossa, Caim!

Mas ele travava. Sentia-se constrangido com a dificuldade de contrariar Custódia. Diante da mãe não tinha coragem de ser imperativo, evitava o confronto aberto. E, além disso, achava radical a resistência de Veneza. Ele também era parte da equação, que ela levasse isso em conta.

— Casar na igreja não tem a menor importância pra mim, mas viver bem com minha mãe tem — dizia a ela. Mas Veneza achava que se cedesse numa coisa tão absurda, deixar a sogra decidir se eles se casariam ou não, o que Custódia não faria com as coisas em que seria tolerável ouvir a opinião dela?

Caim, diante de Veneza, concordava, mas diante de Custódia, recuava. Por um bom tempo, durante os lanches de sábado, quando as duas se encontravam, ele ficava tenso. Estava vendo a hora em que Veneza perderia a paciência. Ela costumava ser elegante, mas não se encolhia quando brigava. E a mãe... bem, não ia parar de falar. Insistir, lamentar e ameaçar com uma linguagem apocalíptica que dava nos nervos.

Até que uma noite, estavam os dois bem acordados, a campainha tocou na casa de Veneza, e era Custódia. Chegou alterada, mal entrou na sala e desandou a chorar, a ponto de não conseguir falar. Veneza estava no quarto, foi chegando devagar ouvindo o lamento angustiado da sogra. Pensou se aquela dor toda era por causa do maldito casamento, considerou até ceder, porque viu que Caim sofria com o sofrimento da mãe, mas quando Custódia conseguiu falar, contou que Antunes estava doente. Muito doente. E caiu novamente no pranto.

Ela desconfiara de que o marido não andava bem — chegou a comentar com os filhos em um dos encontros de sábado — porque ele andava mesmo exausto, com dificuldade de se levantar da cama, matando trabalho e encardindo a olhos vistos.

— Seu pai nunca foi disso, podia beber o que fosse, que acordava cedo. Vi que tinha alguma coisa errada. Começou a ficar sem apetite, a emagrecer, mas ele é teimoso... A memória... Só quando a memória falhou ele se assustou e aceitou ir ao médico. Doutor Adair, médico dele há muito anos, disse que as toxinas subiram para a cabeça, mas que o problema é no fígado. Está cheio de cicatrizes... Para cada cicatriz, uma ferida... — lamentou Custódia, voltando a chorar. — Biquei o fígado de seu pai a vida inteira por causa da minha raiva... O nome de vocês... Nunca pude perdoar e ele descontou na cachaça... Ah, meu Deus... — completou, em desespero.

— Meu pai sempre bebeu! Não começou a beber por sua causa, mãe.

— Eu sei, mas cachaça misturada com mágoa, meu filho, mata muito mais, muito mais.

Um fígado calado é muito perigoso. Mais perigoso do que a bebida ou a extravagância das comidas gordurosas é o rancor silencioso. A pedra de fel. A cólera amordaçada, a humilhação opilada. Antunes não foi o que quis ser. Não teve o que desejou. Não deu vazão aos seus talentos. Era carente de alegria, de festas, de ousadias. Queria uma vida apaixonada! E a sensação de arder por dentro, com cachaça, foi a única capaz de distraí-lo de suas fomes. A doença em estágio avançado não teria remédio, o médico não deu esperanças. Restava parar de beber e enfrentar a morte de cara limpa.

— Não quero que seu pai morra, não quero! — disse Custódia, vendo, subitamente, o amor que sentia à luz da separação. Naquela noite, chorou abraçada a Caim e aceitou uma xícara de chá quente da nora. A trégua entre as duas começava ali.

Em termos de fé, Antunes não era nem crente, nem ateu. Era contraditório. Tinha uma resistência interna em defender a existência de Deus, não via lógica em acreditar num Deus de bondade, todo-poderoso, vivendo num mundo cheio de maldade. Como isso era possível? Quem inventou a maldade? Deus não é o todo-poderoso? Permitiu por quê?, se perguntava. Ao mesmo tempo, dizer que Deus não existia era um risco terrível que, por certa covardia, ele não bancava. Além do mais, Antunes rezava, sempre rezou, não com lógicas, mas com uma sensação no peito. Pedia favores a Deus. Discretamente. Rejeitava as atitudes messiânicas barulhentas. A catequização de Custódia o irritava mais pelas certezas histriônicas que via nela do que pela fé, propriamente. Mas, com a doença, entregou-se à fé dela. Talvez o que Deus não pudesse fazer, ela poderia.

Quem quer o milagre precisa, antes, agir, dizia Custódia. Lave teus olhos e depois, vê. Levanta-te e depois, anda. E ela firmou o plexo solar nessa direção: agir. Qualquer coisa que por fé, crendice ou ciência acenasse com dias melhores para o fígado de Antunes, lá estava ela experimentando. Do remédio caseiro ao remédio de farmácia, do concreto ao espiritual. Benzedeira, rezadeira, raizeiro. Novenas. Salmo 23 e 91. Garrafadas: agrião-roxo junto com cana-de-macaco, canela, carrapicho, cravo, erva-doce, folhas de boldo, jurubeba, óleo-vermelho, queima-cruzeiro, romã, salsaparrilha, umbaúba (broto). Muita água e chá de folhas do abacateiro. E a vontade de cerzir, com linha bem fina, o esgarçado entre eles.

Desde o dia em que Antunes e Custódia pararam de dormir no mesmo quarto, ele passou a dormir no quarto do alpendre, em uma cama de viúvo que fora de sua mãe. Era um quarto pequeno, mas muito agradável, janela grande que dava para o fundo do quintal. Tinha uma pequena escrivaninha e, sobre ela, vários cadernos de caligrafia, onde gostava de treinar sua letra. Na parede, um cabideiro comprido de madeira e um boné da Pregos & Etecetera dependurado, único brinde que fizera para a loja. Ao lado da cama, um criado com um abajur e revistas, muitas delas presenteadas por Veneza. Antunes tinha o hábito de ler antes de dormir.

Custódia quase nunca entrava no quarto, mas com a doença do marido passou a visitá-lo com frequência. Chegava cheia de providências, levando caldos, chás e controlando os remédios. Forçava Antunes a se levantar da cama, caminhar, ir para a varanda, tomar sol, tomar café e almoçar na mesa. E ao final da tarde vinha para rezar com ele. Num desses dias, enquanto ela rezava de olhos fechados, fervorosa, Antunes observava seu rosto, seus braços, o colo bonito subir e descer cheio de fé. Nunca teve vontade de ter outra mulher. Nem sóbrio, nem de porre, não se arrependia da vida ao lado dela. Uma vez escreveu a palavra "seio" no caderno de caligrafia, repetidas vezes, e sentiu uma saudade dolorosa. O remorso fazia mal àquela saudade. Não deixava que ela fosse boa. Quando Custódia acabou de rezar, um pouco indeciso, ele perguntou se poderia lhe fazer um pedido. Ela disse que sim, andava com boa vontade.

— Queria que você tirasse a roupa.

— Que é isso, Antunes. Ficou louco? Que bobagem! — disse Custódia, saindo do quarto.

Foi logo arrumar a cozinha, ajeitar as roupas, perturbada com aquele pedido que não lhe saiu mais da cabeça. E todas as vezes que se lembrava dele sentia o coração dar um pulo. Um pequeno pinote, como se uma travessura, muito da levada, tivesse escapulido do lugar onde nunca se envelhece. Deu em Custódia vontade de que ele fizesse novamente aquele pedido, porque ela gostou da sensação de querer dizer sim. Era uma coisa nova em seu peito velho. Como Antunes não voltasse a tocar no assunto, alguns dias depois, em um fim de tarde chuvoso, só os dois em casa, ela mesma deu um jeito de provocar a conversa.

— Fiquei pensando... Outro dia... Que ideia foi aquela de me pedir pra tirar a roupa? Que bobagem, Antunes!

— Há tanto tempo não vejo seu corpo, Custódia.

— Pra que isso, agora, ver meu corpo?

— Você é minha mulher.

— E daí?

— Quero apenas olhar.

— Para um corpo velho?

— Para você — disse Antunes, fechando os olhos úmidos, enquanto lhe vinha à mente a primeira vez que viu Custódia. Pensou ter visto, e viu, um rastro brilhante e cadente, o último vestígio de um desejo fugidio: a vontade de ser livre, ser solta, ser alegre. Viveu querendo rever aquela fagulha que entrou para dentro dela e sumiu como uma estrela que cai, mas ele não ia lutar mais, se é que já tinha lutado alguma vez na vida. Estava morrendo, andara tempo demais atrás daquela chama. Passos tão desastrados os dele, bêbado insuportável... Não queria mais cambalear, descansaria. Custódia ficou parada olhando para ele, a travessura solta no peito. Aos poucos, com mãos tímidas, desabotoou o vestido. Na penumbra delicada, ficou nua para Antunes.

Ele, distante, abriu os olhos e a viu. Sentiu a emoção mais forte de toda sua vida. Olhou para o corpo de sua mulher. Ela, encabulada diante de olhos tão desimpedidos... o peito disparado... pôs apressada a roupa de volta e saiu do quarto.

No dia seguinte, Antunes acordou cedo e apareceu na mesa do café da manhã sozinho, coisa que já não fazia havia tempos. Estava mais bem disposto. Ao se olharem, os dois tiveram a sensação de compartilhar uma vida.

Dias depois, terminadas as preces, Custódia tirou novamente a roupa para Antunes, porque aquilo parecia ter mais poder do que toda a ciência, todas as orações e garrafadas. E ele, sem ter pedido que ela se despisse, sentiu liberdade de pedir que se deitasse ao lado dele.

— Nua?

— Sim, nua — disse ele. Não faria nada, prometeu, como se sua fraqueza já não fosse promessa de recato suficiente. Apenas queria experimentar a sensação de sentir calma tendo o corpo dela ao lado do seu. Nunca havia conseguido. Custódia se deitou. E os dois adormeceram, serenando as pálpebras agitadas e o corpo confuso com a molecagem. E depois, quando numa próxima vez ela se deitou nua ao lado dele sem que ele tivesse pedido, Antunes ousou passar as mãos nos cabelos dela, e Custódia sentiu vontade de que as mãos dele tocassem sua pele. E foi o que ele fez, quando adivinhou que era também a vontade dela. A mão de Antunes desceu pelas costas de Custódia e seguiu delicada até as nádegas e depois adiante, nas pernas dobradas em concha, voltou a subir pelas coxas, chegou ao ventre, prosseguiu no leve tremor do corpo dela e se aquietou nos seios. Ela mal podia respirar enquanto ele pensou consigo que aquela era uma boa hora de descansar. Se Antunes fosse sempre assim, Custódia o amaria como o amou naquele momento. Foram seus últimos dias.

— Pai?

— Entra, filho.

— Tudo bem, pai?

— Melhorando... O enjoo é que não me larga!

— Vamos dar uma volta no quintal?

– Não, filho, estou me cansando à toa...

– A gente vai devagarzinho.

– Não, filho... Senta um pouco aqui. Como está lá na universidade? Estão te pagando direitinho?

– Pontualmente.

– Que bom. Isso me deixa mais tranquilo... Não sei como vai ser na Pregos... Seu irmão está indo bem, mas é muita concorrência, as lojas grandes... É difícil, não sei, não.

– Não se preocupe, pai, o senhor fez uma freguesia fiel.

Silêncio.

– Abel comprou um computador... Veio me contar ressabiado. Você sabia?

– Não, mas ainda bem, não é todo mundo que dá conta de fazer o que senhor faz de cabeça.

– É, eu era bom...

Silêncio.

– É verdade que fui eu mesmo quem fez você gostar de matemática?

– É verdade, pai, e até hoje nunca vi ninguém tão bom quanto o senhor nas contas de cabeça!

Silêncio.

– Sua mãe é uma mulher forte, não me preocupo com ela, ela sempre dá um jeito. Mas Abel... Abel... Ele é seu irmão, Caim, não se esqueça disso.

– Claro que não, pai! Nunca.

– Nunca. Está certo. É uma promessa?

– Claro.

Silêncio.

– Bati em você e em Abel uma vez na vida, uma única vez em cada um... e me arrependo muito.

– Que isso, pai, o senhor também nos beijou todos os dias... Faz as contas!

Antunes fechou os olhos úmidos demoradamente, em silêncio. Depois de um tempo, Caim se levantou e passou a face na barba malfeita do pai. Já estava saindo do quarto quando Antunes chamou:

– Caim...

– Oi, pai...

– Me perdoa.

– Que é isso, pai. Descansa.

E Antunes descansou.

O silêncio desceu sobre todas as coisas da casa, e o silêncio dos mortos grita. Grita o chinelo, ao lado da cama, a falta que faz caminhar, grita a xícara lascada e estimada subitamente indefesa sem ter mais quem a proteja, gritam os cadernos... Ah, a letra inequívoca e as páginas em branco, como gritam. Gritam todos os objetos abandonados das mãos conhecidas e do hálito profundo e particular: o cheiro de cada um. E não só eles: gritam os cômodos antes frequentados, a falta do peso nos tacos, os gestos familiares, um certo jeito de caminhar, de pôr os cotovelos sobre a mesa, de chegar cansado da rua, apoiar uma das mãos no batente da porta e a outra nas cadeiras e perguntar se o jantar vai demorar. Grita a barba malfeita atrás de um beijo de pai. A vontade de acertar. Gritam as promessas feitas antes do silêncio... Resta ouvir os gritos até que a voz dos vivos retome seu volume dominante. É lento.

Alguns meses depois, quando Abel e Vedina, em um lanche de sábado, anunciaram que se casariam, Custódia, sentindo a cadeira de Antunes vazia como a presença de um convidado, olhou para Caim e Veneza e compreendeu que os dois tinham sido abençoados. Eles, sim, casaram-se de verdade. Depois olhou Abel e Vedina, e soube que, talvez, os dois jamais pudessem fazê-lo, nem em mil cerimônias religiosas. Nem que toda a liturgia se cumprisse, todas as palavras fossem ditas, todos os gestos ritualizados. Esse entendimento invadiu o peito de Custódia. Talvez esse fosse o verdadeiro mistério da fé, que não esconde, ao contrário, revela um agir divino. Ainda assim, o agir humano avacalha tudo, contraria o que compreende mascando chicletes. Não temos treino com o pensamento livre, singular, nem a coragem de sustentá-lo sob camadas tão sedimentadas de obediência. Custódia voltou a insistir que Veneza e Caim se casassem. Mas já não passava de inércia.

16

Aquilo se repetiu outras vezes, e era o fim que se repetia.

Acontecia tão raramente que Vedina demorou a perceber o padrão. Sempre aos sábados, quando voltavam do lanche da casa de Custódia. De onde vinha aquele furor súbito que transformava gozo em vômito? Tanto tempo ela vivera ignorando todos os sinais: a maneira, já abrutalhada, como Abel investiu sobre ela a primeira vez, na festa da arquitetura, e como deu as costas e foi embora sem se virar para trás. E como durante todo o namoro escapou da intimidade física e das manifestações de afeto. Ora, a rocha tem volume, não é invisível. Por que, então, Vedina se recusou a ver? Tudo esteve entre eles desde o início. E só o que saltava aos olhos dela era o desejo de alguma ternura.

Mas, com o tempo, encarar o desprezo tornou-se inescapável. Precisava não morrer tantas vezes. Começou a observar os dias de sábado como se monitorasse, meticulosamente, um experimento científico. Anotava se amanhecia claro ou nublado. Se ele ia trabalhar sem o café da manhã ou alimentado. Se chegava em Custódia

antes ou depois dela. Se comia com apetite ou com a boca frouxa. Se entrava nas conversas ou se mantinha arredio. Se os assuntos estavam ao alcance dele ou o excluíam de um passado que ela, Caim e Veneza dividiam. Mas tudo parecia aleatório, e Vedina não era capaz de prever se, ao chegarem em casa, ele a tomaria de si... Até que um dia, recolhendo a louça da sala depois do lanche na casa da sogra, ao entrar na cozinha, viu Abel parado observando Veneza descascar um abacaxi na pia. Ela estava de costas, não se podia notar a gravidez adiantada, e não havia se dado conta da presença de Abel. Ele tinha os olhos tão afundados nela que demorou a perceber a chegada de Vedina. Ao vê-la, o sangue fez sua mão se desgovernar num discreto mas inequívoco espasmo, e a respiração mudou, quase imperceptível, seu ritmo. Abel tinha treino em se ocultar, mas os fragmentos que escaparam rapidamente se juntaram numa intuição vibrante dentro de Vedina. Estava ali, fosse o que fosse, estava ali.

O som insistente da campainha arranca Vedina de suas lembranças. Onde você está, Augusto?, foi o primeiro pensamento a estalar, feito o estampido de uma caixa de som ao ser plugada.

As mãos de Vedina estão geladas, e a sensação é de uma iminente tontura, como se a coerência do mundo estivesse prestes a se desmanchar e todas as coisas como elas são, o chão no chão, o teto no teto, as paredes solidamente erguidas, os móveis em seus cantos, pudessem se desvairar, como ela mesma havia se desvairado. Como se o mundo, também, numa freada brusca, mandasse ela descer. A ausência total de previsibilidade dá ao desamparo traços de loucura. Parte da sanidade é poder prever, e até botar a mão no fogo, de que as coisas vão se comportar como se espera que se comportem... Que uma mãe agirá como uma mãe... E que uma pessoa de bem agirá como uma pessoa de bem. A campainha insiste. Vedina sai do quarto e, insegura, enfrenta o corredor. A sala parece longe e antes dela está a força centrípeta do quarto de Augusto, prestes a tragá-la até o mais profundo abismo. Ela apoia as mãos na parede, e o passo é de quem ainda sente os pés. Enquanto isso, Veneza tem mãos pesadas na campainha.

3 *"Não cozinhem o cabrito no leite da própria mãe."*

Se era para servir frango em uma data tão especial, que fosse um bom frango com quiabo! E com memórias! Custódia sabia fazer um digno de grandes ocasiões, e os gêmeos amavam. Mas Veneza queria que fosse um *coq au vin*. Ela mesma faria a receita que aprendera com sua mãe, que não cozinhava nada, mas mandava bem nas cozinheiras e arrumava receitas sofisticadas pelo mundo afora. "Cocô van?", disse Lizete cheia de nojo. Como é que podia uma comida com um nome desse? Veneza ria enquanto punha o frango de molho no vinho, com cebolas grosseiramente picadas, cenoura, salsão e um *bouquet garni*. Nome fresco para um amarrado de mato, pensou Custódia enciumada, levando a nora até a porta na véspera do almoço que dariam.

No dia seguinte, mal Veneza retornou à casa, Custódia e Lizete saíram para ir ao mercado. A sogra teve a repentina ideia de fazer uma sobremesa sobre a qual fez um carente mistério. Não seria coadjuvante em um almoço dentro de sua própria casa, ainda por cima tendo sido ela a grande mentora da ocasião.

Veneza achava divertido, até certo ponto, e tentava não competir com a sogra, embora, em se tratando de Custódia, fosse salutar não deixar que ela decidisse tudo. Foi para a cozinha começar os preparativos quando Abel chegou. Chegou silencioso e ficou parado na porta olhando para Veneza como se estivesse no segundo andar do Colégio Santa Maria e ela, lá embaixo, no pátio. Não se acostumava com a presença dela, mesmo depois de tantos anos. Não se acostumava. O corpo magro carregava com agilidade e leveza uma barriga de sete meses.

— Oi, Abel — disse Veneza, levando susto com sua presença imóvel. — Chegou cedo, não abriu a loja hoje?

— Abri, mas fechei mais cedo um pouco.

— Hoje quem vai cozinhar sou eu! Sua mãe é que não está muito empolgada.

Veneza sentiu os olhos dele, observadores.

— Cadê minha mãe?

— Foi ao mercado com Lizete, já devem estar voltando.

Estavam sozinhos, e esse pensamento passou pela cabeça de Veneza com uma leve inquietação, que ela se esforçou para ignorar. Incomodava-se com o olhar de Abel, por mais ligeiro que fosse, sentia uma sede vazar.

— E Vedina? Não veio com você?

Era um olhar paralelo às palavras corretas que ele se empenhava em dizer. Não importava quem estivesse por perto, Vedina, Caim, Custódia, aquele olhar sempre chamava Veneza para uma conversa à parte.

— Vedina não acordou bem. Talvez não consiga vir.

— Como assim? O almoço é para vocês!

Veneza nunca havia contado a ninguém o que acontecera anos antes, na festa da arquitetura, e não contar a ninguém estabelecera uma cumplicidade entre eles que a desgostava. Não era nada, mas às vezes, era nítido. No começo, Veneza pensou que poderia esquecer. Tentou se convencer de que fora uma inconsequência de juventude... bebidas, hormônios... ela, a garota do irmão, dançando para ele... Mas aquele olhar boiando em sua direção não passava. E estava ali, agora mesmo, na cozinha, e não havia como enfrentá-lo porque a boca de Abel dizia coisas irrepreensíveis.

— Eu sei. É uma pena, mas Vedina... ela não acordou bem.

Veneza parou o que estava fazendo e encarou Abel:

— O que Vedina tem, Abel? Exatamente?

Neste momento, Abel gaguejou, e as mãos se descoordenaram do corpo.

— Acho... sei lá... comeu alguma coisa... talvez melhore... não sei.

— Tomara, não vai ter graça nenhuma o almoço sem a madrinha! — disse Veneza, enxugando as mãos e deixando Abel na cozinha, depois de pedir a ele que abaixasse o fogo da panela assim que começasse a ferver.

Cinco minutos depois, Veneza estacionava o carro em frente à casa de Vedina e Abel. No caminho, pensou no silêncio de Caim por todos aqueles anos, e aquilo bateu em seu coração confirmando que uma dor antiga ainda estava lá, crônica, assimilada como parte do seu corpo que amava Caim. Ele nunca perguntou a ela o que acontecera naquela maldita festa. Ele viu. Ou talvez não tenha visto. Ou talvez tenha visto e preferiu pensar que não viu. Ou viu sob o peso de seu nome e do nome de seu irmão... a desgraça em permanente promessa. Veneza podia compreender a omissão dele, mas não podia deixar de senti-la como uma falta de cuidado com ela, como se Caim tivesse escolhido proteger Abel. Talvez tenha feito essa escolha, fizera uma promessa ao pai antes da morte dele. Ou apenas tivesse muito medo da equação incerta, de não saber o que fazer. Assim como ela não soube o que fazer quando Vedina lhe contou, com olhos misturados, felizes e tristes, que naquela noite da festa Abel se jogara em cima dela com uma paixão incontrolável. E tudo aquilo virou um vazio entre os quatro, onde nenhuma palavra ousava ressoar. Só os olhos eram livres e penetrantes.

Por que essas lembranças agora?, pensou Veneza descendo do carro. Por causa do susto com a presença silenciosa de Abel na cozinha? Talvez... Andava assim, naqueles dias, sentindo tudo aumentado: era o amor encarnando-se. Rosa, a menininha em sua barriga. Não havia mais lugar para descuidos.

Desde que contou que estava grávida, Custódia começou a insistir para que ela e Caim convidassem Abel e Vedina para serem os padrinhos da filha. A princípio, a sogra jogava uma indireta atrás da outra, até que rasgou o verbo na base do conhecido drama. Confessou que, desde que perdera o pai, a mãe e o marido, se achava a próxima da fila. E se afligia com a distância entre Abel e Caim. Seu maior fracasso na vida era a distância entre os filhos. Precisava de sossego para morrer e insistiu nisso como se estivesse no leito de morte. Convidar Abel para padrinho seria um gesto amoroso, argumentava, um vínculo de escolha, diferente do vínculo sanguíneo imposto pelo destino. Para o completo alívio de Caim, Veneza não se opôs. Amava Vedina, e queria superar o que vivera com Abel. Rosa seria um novo começo. Era dia de festa, o almoço engendrado para homenagear os padrinhos já exalava o perfume de vinhos e ervas!

Veneza desceu do carro e tocou a campainha enquanto observava o jardim. Quantas vezes tocara aquela campainha em sua vida, quando menina e adolescente. Dona Zilá, a avó de Vedina, abria a porta já mandando Veneza comer alguma coisa! Era uma casa antiga, deixada de herança para a neta. "Esta é a sua casa, minha filha", dizia a avó com olhos de ternura, sabendo o quanto significava para Vedina.

Veneza tocou novamente a campainha. Mais uma vez e mais outra. Passados alguns minutos, a porta se abriu e, num reflexo, fechou novamente. Mas já era tarde, estava visto.

— Vedina, sou eu, abre a porta!

Silêncio.

— Vedina, por favor, abre. O que está acontecendo?

Silêncio.

— Vedina, sou eu!

Silêncio

— Eu não vou embora até você abrir. Abre a porta.

Silêncio.

— Eu vi, Vedina. Eu vi seu rosto.

E a porta se abriu lentamente. E Veneza entrou.

— O que aconteceu?

— Não quero conversar, Veneza.

— Você está machucada...

— Eu notei.

— Pelo amor de Deus, o que aconteceu?

— Veneza, por favor, eu não quero conversar agora.

— Foi ele?

— Por favor, Veneza.

— Foi ele.

Silêncio.

— Eu não acredito. Filho de uma puta. Você tem que sair daqui agora.

— Eu não vou sair daqui!

— Então, você tem que pôr ele pra fora.

— Veneza, por favor, para.

— Meu Deus, Vedina. Você não pode aceitar que Abel faça isso.

Silêncio.

— Eu vou lá agora... Que loucura... Ele não vai mais ser padrinho da minha filha coisa nenhuma... Que filho da puta.

— Não faz isso, Veneza, por favor.

— Como assim? Sem chance, Vedina!

Silêncio.

– Eu estou grávida.

– O quê? Eu não acredito que esse filho da puta te bateu...

– Ele não sabe.

Silêncio.

– Por favor, Veneza, não faça nada. Hoje não!

Silêncio.

– Vedina, vamos lá pra casa... Fica um tempo comigo lá, quanto tempo você precisar até ele sair daqui.

– Não. Eu não vou sair da minha casa, eu vou ficar aqui.

– Você não pode aceitar isso.

– Veneza, por favor, volta lá pro almoço, as pessoas devem estar chegando!

– Meu Deus, Vedina! Eu não vou fingir que nada aconteceu! Desculpa, mas não vou fazer isso de novo...

– Como assim, de novo?

– Sei lá... Não importa. Eu estou sempre fazendo alguma coisa para que Caim e Abel não se desentendam. Chega! Vedina, vamos comigo e a gente enfrenta essa merda juntas.

– Veneza, não piora as coisas para mim, por favor.

– Piorar? O que pode ser pior do que ele bater em você?

Silêncio.

– Você não entende. Uma mulher como você... não tem como entender, pode até se esforçar, mas não entende.

– Vedina...

– Por favor, Veneza, vai embora.

Vedina abriu a porta e esperou que Veneza saísse.

17

Veneza tem mãos pesadas na campainha, e a cena não é original.

Vedina, dentro de casa, tenta juntar seus pedaços para ir atender a porta. Cinco anos e sete meses antes, acontecera exatamente a mesma coisa, mas, naquele dia, Vedina não podia imaginar que era Veneza quem estava tocando a campainha. Ela deveria estar cozinhando um aguardadíssimo coq au vin na casa de Custódia. Mal Vedina abriu a porta da sua casa, teve o imediato reflexo de fechá-la. Não queria ser vista por Veneza, não com aquela dor marcada na cara. Mas foi.

Veneza era a melhor amiga de Vedina. Mais do que isso, a única. Daquelas amizades que se deve pôr no altar e agradecer. As duas não tinham temperamento adocicado, daquele tipo de amigas que vivem grudadas, não eram de se tocar. Gostavam da companhia uma da outra. Passaram a preferir estudar juntas. Sair juntas. Fazer nada juntas. Ficavam bem em silêncio e raras eram as confissões, mas preciosas. A intimidade vinha não de saber tudo uma sobre a outra, mas de adivinhar secretamente coisas não ditas, sempre com alguma formalidade, sal de toda amizade que se preze.

Quando Vedina quebrou o pé, Veneza se dedicou. Repassava as aulas com ela, buscava água quando ela tinha sede, ajudava a chegar ao banheiro. Cuidava. De tempos em tempos, visitava dona Zilá e já chegava avisando que estava ali especialmente para vê-la. Nesses dias praticamente ignorava Vedina, que se enchia de gratidão vendo o carinho da amiga por sua avó.

Quando o pai de Veneza viajava, Vedina se mudava para a casa dela. Caladinha, passava a ter uma irmã. Foi Veneza quem pôs fogo em Vedina para que ela tentasse entrar no grupo de estudos do professor Bruno Jardim. Afirmava com absoluta confiança que ela era muito boa em matemática. E aquela confiança foi como um adubo no espírito de Vedina, extraiu o melhor dela. Um ano maravilhoso elas tiveram juntas. As duas se tornaram as musas dos rapazes do grupo: Caim, Antero e Lourenço. Os cinco, inseparáveis, viviam encostados uns nos outros, estudavam muito, riam muito e não precisavam de muito mais.

Mas Vedina começou a ter pensamentos que arranhavam o que parecia perfeito. Espantava-os, mas a perturbação se imprimia. No começo, era uma sensação sem palavras. Sentia falta de que Veneza quisesse ser, ou ter, alguma coisa que fosse dela. Que quisesse, por exemplo, ter uma vista para o quintal como ela tinha em sua casa, ou que quisesse sentir a sensação de dar uma cortada indefensável num jogo de vôlei, que quisesse pegar emprestado um vestido ou uma blusa, ou quem sabe quisesse ter pernas grandes e bem-feitas como as dela. Queria, por uma fração mínima de segundo, ver Veneza desejar alguma coisa que só ela tivesse. Isso daria a tal coisa poderes de vínculo. Só uma pequena inveja pode sacramentar uma amizade. A admiração, por mais nobre que seja, permite frias distâncias. Uma amiga não pode olhar sempre para outra e nunca querer nada que é dela. Dói. Mas Veneza tinha tudo. Era rodeada por uma mobilização universal em fazê-la feliz. Nunca soube o que é entrar em algum lugar sem iluminá-lo, nunca correu o verdadeiro risco, o mais temeroso de todos: o abandono. Nem mesmo a ausência de sua mãe chegou a ser ausência.

Quando Vedina, depois de tentar se esconder, abriu a porta de sua casa para Veneza, anos antes, e expôs seu rosto machucado, e revelou ser uma mulher que apanhou do homem com quem vivia, não foi a amiga quem ela viu diante de si, nem quem ela ouviu oferecer ajuda com sincera aflição, foi alguém que jamais poderia compreendê-la. "Você não entende, uma mulher como você não tem como entender, pode até se esforçar, mas não entende."

Veneza, sem saber, estava envolvida demais nos tormentos de Vedina, que dias antes compreendera a obsessão de Abel por ela e o confrontara. Abertamente.

É preciso dizer, bem alto, que Vedina era uma mulher inteligente, tinha capacidade de atravessar de cabeça erguida um pátio minado de rejeição, tinha agressividade para dar um salto e soltar o braço em uma bola. Na empresa, era uma liderança, respeitada por seus conhecimentos e habilidades. Bem-remunerada. Independente. É estranho imaginar que uma mulher como ela, tão forte em certos territórios, fosse tão frágil em outros. Veneza não podia mesmo entender.

Abel, ao ser abertamente confrontado por Vedina, no dia em que ela enxergou a obsessão dele por Veneza, foi desvelado, não pela mulher rejeitada na cama, cujo tom de voz macerava queixa e súplica, mas pela mulher fluente, respeitada nas audiências que ele não podia sequer frequentar. Descontrolou-se, sanguíneo, decifrado, quis mastigá-la. Empurrou Vedina no ímpeto de calar a voz que o despia. Ao vê-la no chão, sentiu-se no alto do abacateiro, sem escadas para descer. Esmagou com os pés o ninho à sua frente. Foi a única *vez que bateu em Vedina, mas uma mulher que apanhou uma vez de um homem apanhou para sempre. Augusto já estava dentro dela e começou a ser abandonado.*

Nada mais importava.

Veneza insiste com mãos pesadas na campainha.

2

"Houve pela primeira vez a morte. Já não me lembro se foi Abel ou Caim."

Lourenço, Antero e a mulher já estavam na sala com Caim e Abel quando Veneza chegou. Chegou com faces afogueadas e olhos pontiagudos que acentuavam sua beleza a um nível desconcertante.

– Meu Deus: nossa deusa barriguda! – disse Lourenço indo abraçá-la.

Antero e a mulher, Aline, também se levantaram e festejaram a barriga grande com entusiasmo. Caim beijou Veneza e percebeu que havia alguma coisa fora de ordem.

– Está tudo bem? – perguntou, envolvendo-a com seu corpo. Os olhos dela se encherem de lágrimas:

– Não.

Mal respondeu, Custódia entrou na sala e puxou a nora pela mão:

– Pelo amor de Deus, filha, como você desaparece desse jeito?

Veneza não ofereceu resistência, deixou a sogra arrastá-la para a cozinha. Mas, antes de sair da sala, forçou uma parada e olhou para Abel sem disfarce, então disse na frente de todos:

— Acabei de sair da sua casa, Abel! Vi sua mulher.

O sangue de Abel nunca facilitou a vida dele, mas nesse momento pareceu que purgaria os poros da face! Todos se viraram para ele para saber o que tinha acontecido. Todos os olhares, todas as perguntas, toda a observação em cima dele. Quem dera o torturassem até uma confissão, pensou Veneza indo para a cozinha, sem ter a menor ideia de como tudo aquilo acabaria.

Custódia não parava de falar. Saía dos temperos para os lamentos, reclamava a ausência de Vedina, o sumiço de Veneza, insistia no frango com quiabo, que sabia fazer tão bem, em vez daquele cocô não sei das quantas, e foi falando sem trégua. Veneza ouvia tudo de longe, em uma outra rotação, na qual o significado das palavras não importava. Seus pensamentos estavam na angústia de atravessar aquelas horas. Fazer o teatro da normalidade. Ser simpática, amigável, tolerar que fizessem um brinde ao padrinho como se nada tivesse acontecido. Não daria conta, definitivamente, não suportaria. Assim que conferiu o tempero, acrescentou água ao cozido e uma guarnição de cebolas de cabeça pequenas que deveriam cozinhar até ficarem transparentes, deu instruções a Lizete e voltou para a sala. Abel não estava mais lá. Ela pegou Caim pelo braço, dizendo aos amigos que precisava roubar o marido por alguns segundos. Levou Caim para o antigo quarto dele, fechou a porta atrás de si e desmoronou.

Nos últimos tempos, Veneza andava instável, emotiva. Os hormônios da gravidez, a notícia de que uma menininha estava a caminho mexeram com coisas que ela considerava chão firme: sua própria história com a mãe. Veio à tona a falta que a mãe lhe fizera, até então, romantizada pelo discurso da liberdade e do amor inexorável. Caim achou que se tratasse de uma dessas perturbações acionada pela ausência inesperada de Vedina no almoço a que Veneza tanto se dedicara.

Quando ela se acalmou, apertada entre os braços dele, respirou fundo como quem se prepara para um arremesso e disse dolorida:

— Abel bateu em Vedina.

Caim se afastou, franziu a testa e ficou em silêncio, como se não pudesse compreender aquelas palavras. Como se o absurdo que elas revelavam não fizesse sentido. Devia haver um engano.

— Não vou me sentar naquela mesa com ele e fingir que nada aconteceu.

Caim continuou calado. Aquilo era um gatilho dentro dele. Punha tantas coisas em movimento. Havia um profundo desamparo em não encontrar nada para dizer. Lembrou-se do pai ordenando que ele descesse do abacateiro e largasse Abel lá em cima sozinho. O pavor no rosto do irmão, os dedos vermelhos apertados contra os galhos da árvore e o sentimento de... traí-lo. Trair Abel era uma sensação que rodeava todas as suas alegrias: os gols que fazia na quadra, as gargalhadas com Paulo Parede, o deleite com a matemática... Não havia uma alegria inteira que não tivesse uma pequena fissura.

— Caim, não quero mais que Abel seja o padrinho de nossa filha...

— Veneza... Nós não sabemos direito o que aconteceu.

— Sabemos! Ele bateu em Vedina.

— Ela te contou? Contou o que aconteceu, se eles brigaram?

— Não importa, Caim. Que diferença faz se eles brigaram ou não brigaram? Ele bateu nela.

— Não é assim, Veneza! Você não pode entrar no meio disso sem saber direito...

— Eu já estou no meio disso há muito tempo e você... você sempre pensa que pode ficar fora, não é?

— Do que é que você está falando?

— Ah, Caim...

Silêncio.

Outra vez silêncio.

Mais do que todos os silêncios de Caim, doía em Veneza seu próprio silêncio. Como pôde fazer isso consigo mesma? Lembrou-se de ver Abel do outro lado da pista de dança e de se aproximar dele... do desejo que sentiu de dominá-lo. De fazê-lo se divertir. Salvá-lo. Lembrou-se de ter colocado as mãos dele em sua cintura e de reconhecer, com certa excitação, seu poder sobre ele... Aquele rosto familiar que ela tanto amava... Teve curiosidade... Depois sentiu uma das mãos dele firmar em seu corpo, era um bom sinal, estava conseguindo resgatá-lo... Quando de repente a outra mão entrou debaixo de seu vestido. Levou uma fração de segundo para odiar aquilo, tempo demais, talvez, o suficiente para perceber o dedo de Abel entrando dentro dela. Tantas vezes se perguntou se de alguma maneira autorizou que ele fizesse aquilo. Como concedeu a ele tempo de manobrar as mãos? Empurrou Abel enojada e, ao se virar, encontrou Caim, o amor da sua vida... Eles se olharam e havia tanto pavor em seu coração que Caim não poderia ignorar. Mas ignorou. Assim como ela mesma ignorou... Passou e repassou sua parte naquilo tudo. Um pequeno desejo de sedução, o medo da reação de Caim se ele soubesse e, depois... Vedina. Deixou que ela, sua melhor amiga, se enganasse, deixou que contasse em detalhes o que Abel fizera com ela, antes de ir embora da festa, deixou e não fez nada, se omitiu, vendo Vedina tomar por paixão descontrolada o que na verdade era... violência.

— Você nunca me perguntou o que aconteceu naquela festa, na arquitetura.

— Meu Deus, Veneza, aquilo tem um século.

— Um século de omissão... Desta vez não vou deixar você não ver. Vedina está lá agora, machucada.

— Veneza, calma. Não vai fazer bem pro neném você ficar desse jeito. Antero e Lourenço estão aqui, não precisamos resolver isso na frente deles, nem expor Vedina...

– O que está acontecendo aqui, gente? Vocês largaram os convidados sozinhos na sala? Onde está Abel? – disse Custódia, entrando no quarto sem bater. Veneza, irritada, passou pela sogra sem responder. Caim tentou tranquilizar a mãe dizendo secamente que estava tudo bem. Ao que ela, prontamente, revidou:

– Estou vendo, meu filho, você está radiante!

O almoço foi um banquete de constrangimento. Todos ali se conheciam o suficiente para saber que alguma coisa tinha desandado. Estavam convocados a encenar a dança da aparência com a hipocrisia! Há nas famílias uma habilidade impressionante para esse baile, pensou Veneza, vendo Abel sentar-se à mesa. A voz de Caim martelava em sua cabeça: "Não precisamos expor Vedina." Claro, tem razão! Expor Vedina seria imensamente mais grave do que surrar Vedina. Vamos almoçar e digerir o acontecimento ao sabor de ervas e vinho. Não há nada que papilas excitadas não possam, com muito gosto, distrair! Come-se, brinda-se e, em meio às palavras polidas, confirma-se que um homem bater em uma mulher não é motivo para se desperdiçar um *coq au vin*! Não é preciso parar o mundo, adiar a festa, mudar os planos. Pode-se, simplesmente, ter calma. Esperar. Um olho roxo não vai a lugar nenhum! Quanto mais Veneza pensava, mais o contraste de seu rosto filtrava sua beleza. Pena que Lourenço estivesse em um dia pouco inspirado. Em um bom dia, seria capaz de entreter todos, mantendo-os a salvo da realidade. Há no dicionário tantas palavras a desempoeirar! Mas ele limitou-se a elogiar o *coq au vin* de Veneza com palavras francesas. Antero, do alto de sua timidez e boa vontade, esforçou-se para contar, com alguma graça, a correria de ajeitar o casamento dele e de Aline no prazo de menos de um mês. Ele ganhara uma bolsa de doutorado nos Estados Unidos, decidiram se casar antes de ir. Sem festa, sem vestido, sem convidados. Contou que agarraram no laço um desconhecido como testemunha no cartório e pronto: estavam atados. Embarcariam dali a dois dias.

— Melhor um desconhecido como testemunha, os conhecidos se tornam facilmente cúmplices — disse Veneza, trocando o silêncio pelo sarcasmo. Caim podia ver que ela estava prestes a dizer o que pensava.

Foi então que Custódia, batendo uma colher no copo, pediu a palavra. Esperava por esse momento havia dias, cercada de suas louças especiais. Se estivesse menos cega, daria um cavalo de pau, recuaria. Deixaria que Caim e Veneza conduzissem o desenrolar das coisas. Mas considerava-se habilidosa, e imaginou que, uma vez oficializado o convite a Abel para ser o padrinho de Rosa, nada poderia alterar o porvir. Fosse o que fosse, que visivelmente se agitava por debaixo dos panos, não poderia anular um sacramento apalavrado! Diante de um fato irreversível, todos os outros se ajustam a ele. Mal Custódia começou a falar do amor entre os irmãos, do quanto os dois reescreveram a história de Caim e Abel e do significado de um padrinho de batismo na vida de uma pessoa, foi interrompida por Veneza, que se levantou calmamente, enquanto Caim fechava os olhos, como se fechar os olhos pudesse livrá-lo de ver o que sua mulher faria a seguir:

— Dona Custódia, desculpe interromper, mas Abel não será mais o padrinho de Rosa. Quer explicar por que, Abel? — disse, encarando o cunhado.

Silêncio.

— Como eu imaginava, Abel não tem uma explicação, porque ela não existe. Proponho que a gente faça um brinde ao casamento de Antero e Aline!

Abel se levantou e saiu da mesa. Caim foi atrás e alcançou o irmão já na rua.

— Agora você bate em mulher, Abel?

— Não sei. Bato?

— Você bateu em Vedina.

Silêncio.

— Desde quando, meu irmão, você bate em mulher?

Silêncio.

— Alguma vez você viu nosso pai encostar um dedo na nossa mãe? Você suportaria ver isso?

— Vi coisas piores.

— O que pode ser pior do que um homem bater numa mulher?

Uma faísca atravessou os olhos de Abel, e Caim pensou ter visto um sorriso nos lábios dele. Deu um passo para trás, porque ver entornou uma quantidade sufocante de compreensão.

— Aquele dia na festa da arquitetura, você sabe... O que aconteceu? O que você fez com Veneza?

Silêncio.

— O que você fez com Veneza?

Silêncio.

— O que você fez com Paulo Parede quando eu virei as costas? — perguntou Caim, transtornado.

E, neste momento, o rosto de Abel se contorceu como se, finalmente, tivesse sido esfaqueado.

18

Veneza insiste com mãos pesadas na campainha.
Vedina abre a porta e cai nos braços dela.

1 | *Levai alguma esperança, ó vós que entrais.*

Abel chegou da casa de Custódia. Parou por alguns minutos olhando fixamente para Vedina, deitada no sofá da sala, vendo televisão.

Ela viu que estava sendo observada, mas não desviou os olhos da tela. Mais ele a encarava, mais ela mirava a TV com uma atenção oca, sem ver ou ouvir nada do que se passava, o nervo óptico com pequenos espasmos, o jeito de piscar subitamente artificial. Vedina sustentou aquele instante de aparente indiferença como se pudesse extrair dele alguma dignidade. Como teria sido na casa de Custódia? Inquietou-se. Os olhos arroxeados, o corte na boca, tudo o que Veneza vira horas antes no rosto dela teria produzido qual desfecho? Se Vedina movesse a cabeça um milímetro, poderia encarar Abel e dimensionar o estrago. Quem sabe sua boca agredida chegasse a sorrir, ao vê-lo ferido também, fazendo com que sua dor, há tanto tempo aprisionada, saísse saltitante na direção dele.

Abel foi para o quarto.

Ao deixar Vedina sozinha, o desespero se apoderou dela. Só o confronto aberto com Abel interessava. A indiferença encenada por ela não suportaria a ausência dele, precisava exibir-se. Agora, sem os olhos de Abel, Vedina só conseguia pensar na força necessária para invadi-lo. Como retomar o confronto, como pisar duro nos tacos e arrancar deles um som incômodo, com que força se trancar no banheiro, tudo exigia dela os mínimos detalhes... Como atingi-lo? Como desafiá-lo para um duelo? Como atravessar a rocha com uma espada?

Abel na cama, deitado sobre a colcha, as mãos em concha atrás da cabeça, os cotovelos como asas abertas, olhava para o teto. Tomava, naquele exato momento, a decisão de ir embora. Para onde? Para um lugar onde pudesse ser sozinho sem os rituais de parecer não ser. Vedina atravessou o quarto, demorou-se no banheiro e, ao sair, ele ainda estava lá. Ela se deitou ao lado dele, virada de costas, o coração disparado. Abel ameaçou levantar-se, talvez para sair do quarto, quem sabe para comunicá-la de sua decisão de ir embora, mas não teve tempo de concluir o movimento. Vedina, na altura máxima de sua voz grave, disse:

— Estou grávida.

Como alguma coisa tão arruinada podia, ainda, desmoronar?

Mais uma vez o tempo foi capturado. Augusto nasceu em meio às ruínas.

Abel passou longas noites sentado ao lado do berço, a luz fraca do abajur acesa, e ele olhando para o menino. Horas e horas olhando para o filho. Como se visse o que ninguém mais podia ver. Foi tomado pelo desejo de que alguma coisa pudesse recomeçar. Nasceu uma criança entre nós! Não é assim que o homem reinicia o mundo?

Cinco anos e sete meses mais tarde, depois de desaparecer o dia inteiro sem dar notícias, Vedina voltou para casa acompanhada por Veneza. Na frente dela, contou a Abel como abandonara Augusto na calçada de uma avenida de mão única. Mal conseguia falar, estava exausta. Mesmo assim, deu detalhes das providências tomadas, da tarde na delegacia de polícia, dos primeiros assédios da imprensa, e desabou em desespero ao ver entrar pela janela a primeira noite sem o filho. Abel fechou os olhos e sentiu a massa informe de seu corpo tocar o extremo. Não haveria nada além daquele lugar. Lembrou-se de Augusto dormindo, a face sobre as mãozinhas, a boca levemente aberta e o hálito inocente dos dentes de leite. Seu menino dormia como um anjo, um verdadeiro anjo. Dentro da rocha, alguma coisa se parecia com um coração macio.

Eu estava a um passo dele, quando tudo aconteceu.

O mesmo retrovisor do carro que mostrou o menino se desmanchar em desamparo certamente mostrou, mesmo que não tenha sido notada, a manga de meu casaco vermelho catando no chão a mochila colorida.

Aquela mãozinha agarrada à minha era morna, e confiou imediatamente em meus gestos. Assim que me viu, para distraí-lo de seu olhar assustado, sugeri que caminhássemos um pouco e fôssemos ver um cachorrinho que morava ali perto. Andamos pela calçada no contrafluxo dos automóveis que vinham apressados.

Seguimos, de mãos dadas, eu e o menino, como velhos conhecidos. Insuspeitos no bem que fazíamos um ao outro. Aonde eu ia com ele? Confesso que não sabia. Pelo caminho, ele oscilava entre o choro e a aventura. Propus não pisarmos nas linhas pretas da calçada, e ele imediatamente se esqueceu de tudo para aceitar meu desafio. Como a alegria veio rapidamente animar aquele corpinho, vi que ele poderia voltar a ser feliz mesmo depois da brutalidade que sofrera.

Passado algum tempo, o som repentino e indignado das buzinas chamou minha atenção, e eu acompanhei de longe a mesma mulher alta parar seu carro no meio da rua, deixando atrás de si a porta aberta, como da primeira vez. Eu a vi correr pra lá e pra cá, desorientada, entrando e saindo dos lugares, ignorada pela inabalável rotina das vidas.

Por que eu estava ali, justamente naquela manhã? Justamente quando não poderia escapar? Não sei. Quem sabe? O fato é que comecei a pensar que tudo o que veio antes em minha vida aconteceu para que eu estivesse ali, naquele exato momento. Nem antes, nem depois. Agarrei-me àquela sincronicidade e passei a dar a vida para defendê-la como um desígnio divino. Não fossem todas as vésperas terem sido o que foram, nem eu nem o menino estaríamos ali. Não com a emoção que estávamos.

Quando me abaixei para amarrar o tênis dele, no cuidado de não o deixar tropeçar, vi sua meia suja de sangue. Poderia não ter visto, mas vi. Examinei seu pezinho, e ele, para se manter de pé, pôs os dedinhos no meu rosto em busca de equilíbrio. O jeito que me olhou... foi como se me dissesse: "Vamos." Naquele momento, a luta dentro de mim já não era mais entre querer ou não querer estar com ele. Eu queria. A luta era entre querer e recusar o que eu queria. Porque não era certo. Eu sabia: era errado. Mas só Deus sabe ser radical – separar as coisas e obtê-las em estado puro. Luz ou escuridão, céu ou inferno. A nós é dado um dia misturado ao outro. Não pude me decidir. Não planejei nada do que veio depois, apenas fui querendo um pouco mais de tempo com ele. E as horas foram fazendo os dias, e os dias, o irreversível.

Acompanhei com dedicação os desdobramentos do caso. Fotos, falas, a intimidade devassada pela repercussão ruidosa. A mãe, Vedina, visivelmente abatida, contando e recontando cada segundo do dia em que o filho desapareceu, sendo publicamente vasculhada nos gestos, pensamentos e passado. O pai, Abel, impenetrável. Parecia olhar para dentro de si o tempo todo, forçando a distância de tudo ao redor... exceto por um instante, um instante... que em mim causou forte impressão. Estavam todos lá, em uma das fotos publicadas no jornal, todos olhavam para a frente, enquanto ele tinha olhos intensos deslocados na direção de Veneza, a mulher de seu irmão. Ela era um ponto de luz, de uma beleza imediata, profunda, que parecia transbordar um coração íntegro. Tinha uma das mãos tocando o braço de Vedina, como se desse toque viesse a força necessária para mantê-la de pé. Ao lado de Veneza, Caim carregava uma menininha no colo... A incrível história de Abel ter um irmão chamado Caim chamou minha atenção, e o assombro daqueles dois homens iguais, visivelmente habitados por forças tão díspares, vazava uma inquietação no papel. A um pequeno passo à frente de todos estava Custódia, a matriarca inconformada, de quem ouvi, em uma rádio, com algum pavor, apelos inflamados pelo neto desaparecido e a promessa de inferno aos culpados. Confesso que não foi fácil aplacar a discórdia dentro de mim: fazer o mal é um fardo pesado, porque o bem também é uma tentação.

Resisti.

Passei a me colocar obstinadamente no lugar deles. Eu os concebi a partir da costela viva do que testemunhei: maltrataram aquele menino a quem amei tão imediatamente. Diante da realidade brutal de uma mãe que abandona o filho em uma avenida de mão única, que outras verdades importam? Às minhas conjecturas dei carne e ossos, e elas não podem mais ser outra coisa senão realidade. A eles dei a misericórdia de um punhado de vésperas. Uma reserva de absolvições, ainda assim, os condenei. E junto deles, condenei-me.

Todos esses anos, acordo de madrugada com medo da eternidade. Dois olhos vigilantes me fitam na escuridão noturna. Não há confins no mundo onde eu possa me esconder do que eles veem. Sim, os olhos lá estão, e eu só peço que vejam: meu filho é feliz! Fiz dele um homem de bem, amado. Meu fiel foi o amor. Você pode duvidar que haja amor no que eu fiz, mas a verdade precisa, sempre, ser negociada.

Às vezes, Augusto, a quem chamo Daniel, tem sonhos recorrentes e eu sei que são lembranças. Neles, um homem sempre lhe beija a face antes de desaparecer. Digo a meu filho que não passa de uma fantasia, é seu coração desejando alguma coisa que lhe falta.

As palavras permitem todo tipo de realidade.

Belo Horizonte, 28 de julho de 2021.

Epígrafes

*Tá vendo aquele homem,
ele não é o diabo.
Pode ser pior, mas é homem.
Pode ser filho de Deus, mas é homem.
O homem é o barro do homem.

***Antes do começo**
Se nos quisesse perfeitos
nos fizesse perfeitos.

***18**
À palavra é dado ser poema. Ou cativeiro.

***17**
O acaso fará mais do que um par de mãos.

***16**
Ir mãos.

15

"Aos que matam um homem sem intenção
será designado um lugar aonde possam ir."
(Êxodo 21)

***14**

Deus lutou para ser único,
conseguiu ser o de cada um.

***13**

A queda nunca é livre.

12

"Duas formas são a mesma
se for possível transformar
uma na outra sem quebrá-la."
(Grigori Perelman)

***11**

O paradoxo dos gêmeos:
ficar envelhece mais do que partir.
(Inspirado no paradoxo dos gêmeos de Albert Einstein)

***10**

Lento e breve.
Posto que é nítido e fugidio.
Dissolve-se ao toque da palavra
só dentro de mim é desmesura.

9

"As coisas reveladas pertencem a nós."
(Deuteronômio 29:29)

*8

Conjecturas da alma:

pode-se deduzir

as particularidades de um ser

a partir de pequenas regiões desse ser?

(Inspirado na conjectura da alma dos matemáticos Cheeger e Gromoll)

7

"Deixa-me atravessar

e ver a boa terra do outro lado."

(Deuteronômio 3:25)

*6

O que treme a carne não é a morte.

*5

Há um abismo nos olhares

que, tendo se cruzado.

se veem

*4

Só melhorando os homens

melhoramos seus deuses.

3

"Não cozinhem o cabrito no leite da própria mãe."

(Exôdo 23:19)

2

"Houve pela primeira vez a morte.

Já não me lembro se foi Abel ou Caim."

(Jorge Luis Borges)

***1**

Levai alguma esperança,

ó vós que entrais.

(Inspirado no portal do inferno de Dante Alighieri)

Antes do fim

Dilacere um coração e o conhecerá por inteiro.

(Daniel de Jesus)

*Carla Madeira

Obrigada,

Ana e João, onde o meu desejo de acordar começa.

Zinho, por viver o amor comigo cada um dos dias em que este livro foi escrito.

Maria de Lourdes dos Santos, minha Lu, por esses anos de inspiração.

Vânia Moraes, luz acesa ao longo de toda a jornada desta nossa Véspera.

Eliana Bhering, pela troca sem fim.

Aos amores do Cartel do Amor, por tantas palavras sopradas no meu coração.

Cristina Cortez, Juliana Sampaio e Marcia Lima, pelo envolvimento e pelas preciosas sugestões.

Jeferson Machado Pinto, pela escuta que serena meu coração.

Gustavo Jardim, pelas horas divertidas e amorosas e por ter jardim em seu nome. E rocha também.

Felipe Guisoli, pela consultoria matemática e por me lembrar o quanto sou apaixonada por ela.

Isabela Vecci e Patrícia Lacerda, pela memória das festas inesquecíveis.

Paulo César Madeira Carneiro, meu irmão, que me deu de presente as anotações de meu pai, que tanto me emocionaram. E Ana Madeira, minha filha, por fazer chegar em minhas mãos o livro de geometria dele, "paninho de chão", repleto de sua presença.

Liana Joncew, minha irmã, pela interlocução amorosa e rica sobre a Bíblia.

Aos meus amigos, leitores de primeira hora, por toparem ler um rascunho ainda tão necessitado de virar livro e pelas considerações preciosas que fizeram: Nísia Werneck, Gustavo Grossi de Lacerda, Pedro Vieira, Simone Moreira e Izabela Borem.

Daniel de Jesus, por não me deixar terminar quando pensei que havia terminado. Pela última epígrafe e por sua capa de tirar o fôlego.

Obrigada aos meus editores pelo olhar atento e por fazerem este livro ser melhor do que quando eu o entreguei a vocês, serei sempre grata.

Duda Costa, por suas considerações precisas e condução sensível.

Rodrigo Lacerda, por me fazer olhar para o essencial com generosidade e delicadeza. E pela orelha deste livro que tanto contentamento me deu.

Roberta Machado, por confiar e me acolher com entusiasmo.

Este livro foi composto na tipografia
Claredon URW, em corpo 10/16, e impresso em
papel off-white no Sistema Cameron da
Divisão Gráfica da Distribuidora Record.